Compañeros
del alma

Compañeros del alma

21 formas para encontrar tu amor eterno

Arian Sarris

Grupo Editorial Tomo S.A. de C.V.
Nicolás San Juan 1043
03100 México, D. F.

1a. edición, agosto 2013.

Compañeros del alma
Copyright © 2002 por Arian Sarris
Publicado por Llewellyn Español
Una división de Llewellyn Worldwide, Ltd
P.O. Box 64383, 0-7387-0618-3
St. Paul, MN 55164-0383, U.S.A.
www.llewellyn.com

© 2013, Grupo Editorial Tomo, S.A. de C.V.
Nicolás San Juan 1043, Col. Del Valle
03100 México, D.F.
Tels. 5575-6615, 5575-8701 y 5575-0186
Fax. 5575-6695
http://www.grupotomo.com.mx
ISBN-13: 978-607-415-534-1
Miembro de la Cámara Nacional
de la Industria Editorial No 2961

Diseño de portada: Karla Silva
Formación tipográfica: Marco A. Garibay
Corrector de primeras pruebas: Ana Laura Díaz
Corrector de segundas pruebas: Kaarina Véjar A.
Supervisor de producción: Leonardo Figueroa

Este libro no se hubiera concebido,
ni mucho menos escrito,
sin la ayuda de Leia Melead y Maynard Friesz.

Y, por su puesto,
nada se llevaría a cabo sin
la cooperación de mi estimado
amigo Intz Walker.

Contenido

PARTE 2: LOS EJERCICIOS

la cual puede no estar de acuerdo con
ese ideal? Liberarse de esas expectativas.

¿Estás listo para traer a tu vida a tu alma
gemela? Si no es así, entonces tienes que
hacer algo.

La estructura compuesta por los viejos
patrones de la infancia arraigados en los
chakras te impiden atraer nuevas personas.
Cámbialas.

Cánticos que determinan los cambios
internos para atraer a tu alma gemela.

Otro ejercicio que utiliza las afirmaciones
para generar cambios dentro de ti, con
el fin de ayudarte a prepararte para
encontrar tu alma gemela.

Traer a tu alma gemela hasta tu habitación
y tocarse con ella en todos los niveles
—emocional, mental y espiritual— en
cada uno de los chakras.

PARTE I
La preparación

Almas gemelas

En la película *Made in Heaven*, dos almas se encuentran en el cielo y se enamoran. Allí, comparten una dicha mágica durante algún tiempo; entonces la mujer decide encarnar en la Tierra. Al sentirse infeliz por creer que la perdería, desesperadamente el hombre también toma la decisión de encarnar en la Tierra, con la esperanza de encontrarla de nuevo.

Una vez encarnado, él olvida su misión a pesar de que, en variadas ocasiones y durante el transcurso de los años, llegan a estar a punto de encontrarse. Finalmente un día, mientras iban caminando por la calle, experimentan una extraña sensación. Ambos voltean la cabeza, se miran y por último se abrazan. Es muy romántico, quizás suene cursi, ¡pero es la conexión del alma gemela en acción!

No importa qué clase de relación afectiva podamos tener. Puede ser buena o mala, pero en lo más profundo de nuestro ser, estamos anhelando la magia del encuentro con nuestra alma gemela —esa relación especial que va más allá de nuestras relaciones normales—. Inclusive, no llegamos a conocerla sino hasta cuando la experimentamos. ¡No importa la forma en la cual podamos expresar nuestro deseo de tener un amante! Cuando encontramos nuestra alma gemela, el sentimiento es completamente diferente. ¡Es profundo, íntimo, acertado, pero sobre todo, inevitable!

Cuántos de nosotros no hemos soñado con esta escena: Ves a una persona al otro lado de la habitación y se guiñan los ojos mutuamente; entonces sientes un profundo estremecimiento en tu campo de energía que logra sacudir todo tu ser. Piensas que es fantástico. ¡Por fin ha sucedido. Has encontrado tu alma gemela! Todos tus sueños se han hecho realidad.

Has encontrado a tu compañero especial, para el amor, para la intimidad y, en términos generales, para la vida.

Algunas personas han descrito a su alma gemela como su otra mitad, como los gemelos idénticos nacidos del mismo huevo. Cuando se encuentran experimentan la conexión más íntima, tanto de la mente como del ser, como si fuera la unión de las partes de una totalidad.

No hay nada más significativo que compartir ese vínculo. En ese momento reconoces lo que has venido buscando durante tanto tiempo. Esta teoría del alma gemela estipula que tienes solamente una oportunidad para el amor porque sólo existe una persona especial para ti.

Otras personas hablan de la existencia de múltiples almas gemelas —no existe un compañero exclusivo para ti, sino una vibración particular que varias almas gemelas comparten contigo—. Estas almas gemelas te ayudan con las lecciones, el karma, o con las experiencias que enfrentas durante varios segmentos de tu vida. Eso significa que la duración de la relación puede variar; pueden ser compañeros para toda la vida o pueden separarse después de haber cumplido alguna tarea.

Una de las implicaciones de este tipo de almas gemelas es que estas relaciones se ven afectadas por (y reflejadas en) los diferentes niveles de tu desarrollo personal. Tu alma gemela correspondiente a su época de los veinte a los treinta años, ciertamente, está muy distante de la que le corresponde a tu época de los cuarenta, puesto que tus actitudes, necesidades y comportamientos tendrán que ser diferentes de una época a otra.

No obstante, el propósito de ellas hacia ti (y el tuyo hacia ellas) es el de ayudarte a maniobrar a través de los asuntos personales que puedan resultar problemáticos, como los miedos y las necesidades, y lograr resolverlos de una manera segura, esperanzadora y más saludable.

Personalmente apoyo la idea de las almas gemelas múltiples, en la que cada una tiene esa vibración esencial que todos comparten. Sin embargo, también considero que existe una persona muy especial, a la cual puede que hayas, o que no hayas tenido la fortuna de conocer —esa que encaja perfectamente bien como si fuera tu otra mitad.

De cualquier manera, ya sea tu compañero ideal o simplemente una de tus almas gemelas vibracionales, te mereces la experiencia de conocer quién es la persona correcta en este momento.

El próximo paso es encontrarla. No importa cuál sea el tipo de alma gemela que atraes. Puedes estar seguro: Ellas son almas conocidas. Han estado juntas en otras vidas. Sus experiencias han sido tan poderosas y su conexión tan fuerte, que no tienen otra opción que estar la una con la otra. Es como tu destino. Ya que existe una fuerte necesidad de autodesarrollo, curación y crecimiento personal, las almas gemelas ayudarán a que el proceso de aprendizaje se acelere.

Si estás leyendo este libro debes tener por lo menos curiosidad o el profundo deseo de complementarse a ti mismo.

Al igual que muchos lectores, quizás te estés preguntado: ¿Cómo encontrar a tu alma gemela? ¿En dónde está? ¿Cómo saber en qué momento te has encontrado con tu alma gemela? ¿Y al encontrarla, significa que siempre van a estar juntas? ¿Qué pasa cuándo ellas mueren? ¿Por qué razón no he encontrado mi alma gemela? ¿Qué pasa si no he podido reconocerla? ¿Qué pasa si ellas mueren jóvenes? ¿O qué pasaría si ya se han involucrado con alguien más? ¿Cuál es el problema? ¿Acaso el problema soy yo?

Esas preguntas no son ni insignificantes, ni triviales, y este libro te dará las respuestas mientras avanzas de manera progresiva en tu orientación para la preparación y la localización de tu alma gemela.

¿Qué está sucediendo? ¿Qué es lo que las mantiene separadas? Hay muchas razones, pero solamente voy a mencionar algunas:

- Asuntos sin terminar con alguien más.
- Tus problemas familiares que no has podido resolver (muy importante).
- No tienes ni tiempo, ni deseo, ni motivación.
- El miedo de conseguir lo que realmente quieres.
- Los problemas que te acarrean los compromisos.
- El karma.

Éstas son algunas de las principales razones por las cuales pueden estar separadas, aunque pueden existir muchas otras. Pero cualquiera que sea la causa, el resultado todavía sigue siendo el mismo —no has establecido una relación con tu alma gemela.

Ahora estás comprometido a buscarla (consciente o inconsciente) por todas partes. Te preguntarás: "¿Dónde estará mi alma gemela?", a medida que observas las caras de todas las personas que conoces, incluyendo a la persona con la cual terminas casándote o compartiendo tu vida. Es posible que les preguntes silenciosamente: "¿Eres mi alma gemela?".

No lo sabes porque no puedes identificar la energía que irradia tu alma gemela. ¿Cómo podrías hacerlo si no estás familiarizado con ella? Por consiguiente, aun cuando hayas encontrado tu alma gemela, quizás no puedas reconocerla.

También puede suceder que has encontrado tu alma gemela, e inclusive has tenido una relación con ella, pero ésta ha fracasado.

Aarón y Lisa lo pregonaron a los cuatro vientos: "Nosotros somos almas gemelas". Luego se casaron y, unos años más tarde, se separaron. Entonces Aarón declaró: "Ésa no era realmente mi alma gemela; yo estaba equivocado". En efecto, sí eran las almas gemelas. Si ellos hubieran creído en una teoría de las almas gemelas (como de hecho lo hacían), la idea de que su relación había fracasado habría sido demasiado dolorosa para ellos.

Negar el hecho de que eran almas gemelas logró hacer más aceptable el dolor de la disolución. De otra manera, se habrían inundado con reproches mutuos y recíprocos, como por ejemplo: "¿Cómo pude estar tan equivocado? ¿Cómo pude imaginar que Aarón/ Lisa era mi alma gemela, cuando era tan obvio que no era así?".

Al convertir la relación en una completa equivocación, están negando su realidad con el fin de prevenir los reproches mutuos y el sentimiento de culpa que podría causar una herida muy difícil de curar.

Cuando Aarón finalmente reconoció que podían existir almas gemelas múltiples, pudo aceptar que él y Lisa eran, en efecto, dos almas gemelas, y que juntos habían aprendido sus respectivas lecciones. La relación que ellos crearon era correcta para su desarrollo personal, en ese momento en particular.

Al asumir la perspectiva de que dos personas se unen para realizar una tarea en particular o para tomar parte en una situación de aprendizaje, se hace más fácil el hecho de aceptar las lecciones y luego continuar con su misión personal.

Considero que la peor situación es aquella en la que el individuo es incapaz de establecer cualquier clase de relación. Lamentablemente esto ocurre todo el tiempo debido a que no está preparado para el encuentro con su alma gemela.

¿Qué necesitas para prepararte para encontrar tu alma gemela? En realidad son muchas cosas, pero todas ellas te exigen que te concentres en ti mismo, aceptar con agrado tu propio cambio y también que confíes plenamente en el proceso. Al hacerlo, empiezas a incrementar tu propia vibración personal hacia un nivel superior. Este hecho te dispone hacia nuevas posibilidades y atrae a las personas que están buscando esa nueva vibración.

Es como sintonizar una emisora en el radio. Sólo puede recibir señales para las cuales el radio ha sido diseñado. Un radio de onda corta percibe más señales que un radio transistor AM/FM, lo mismo que un radio de cinco bandas puede recibir muchas más señales que un radio convencional. Para aumentar el alcance de tu radio necesitas mejorar la calidad de tus vibraciones internas o adquirir un equipo que tenga más poder de alcance y un ancho de banda de mayor amplitud.

¿Y eso qué tiene que ver con las almas gemelas? Si tú estás transmitiendo en amplitud modulada (AM) y tu alma gemela transmite en frecuencia modulada (FM), entonces no será posible establecer ningún tipo de conexión entre ustedes; o si tu radio de AM/FM tiene una señal muy débil, no será capaz de recibir las señales enviadas desde las diferentes estaciones, una de las cuales será la de tu alma gemela.

Necesitas aumentar considerablemente tu voltaje. Después de todo, no puedes atraer a tu alma gemela con el solo hecho de desearlo. Necesitas iluminarte como si fueras un árbol de Navidad, para que así, la persona correcta (y nadie más que ella) pueda verlo. En efecto, de esta forma, será imposible que no se detecten.

¿Cómo vas a hacer eso? Consiguiendo que todas tus células —las de tu mente, cuerpo, espíritu, corazón y tu ser— estén comprometidas con la tarea de manifestarse ante tu alma gemela.

Existen diversas formas de hacer esto, algunas de las cuales podrás verlas a medida que vayas explorando a través de los ejercicios que aparecerán en este libro más adelante.

Compromiso

Piensa en algunas de las cosas que has hecho en tu vida. ¿Qué hiciste para que se convirtieran en realidad? En mi caso, fue establecer qué era lo que deseaba, y después llevarlo a cabo. Cuando asistí a la escuela de graduación para conseguir mi título en consejería y para escribir mi primer libro, estas dos cosas se convirtieron en mis objetivos específicos. Todo giraba alrededor de ellos.

Pero no siempre tuve éxito. Muchas veces tuve proyectos sin comenzar o vagamente empezados. Había algo en ellos que no captaban mi atención; no me interesaban o no lograban mi completa concentración. Encontrar a tu alma gemela es un proyecto que requiere el ciento por ciento de tu compromiso y completa concentración. No es suficiente con decir: "Sí, yo quiero tener esa relación especial". Tienes que comprometerte a generar una relación con tu alma gemela, incluso antes de que se presente ante ti. De eso se trata este libro —de prepararte para cuando llegue tu alma gemela.

La habilidad para manifestar tus deseos está directamente conectada con la forma adecuada en la cual concentras tu energía. Normalmente, somos muy dispersos, por lo cual necesitamos aprender a concentrarnos. Entre más alineados estemos con el propósito y con el intento, más fuerte será nuestro deseo de alcanzar la meta y también nos volveremos más poderosos y más capaces de manifestar lo que queremos. Al concentrarte en la manifestación de tu alma gemela con todo tu corazón, mente, cuerpo y espíritu, nada se puede atravesar en tu camino. Te habrás convertido en una fuerza irresistible.

¿Y luego qué?

Hay un proverbio famoso que dice: "Ten cuidado con lo que pides porque lo conseguirás". Si estás pidiendo tu alma gemela, muy probablemente lo vas a conseguir. La pregunta que debes hacerte es si en realidad estás preparado para cuando eso ocurra, y también si ella está lista para presentarse ante ti.

A medida que trabajes en la tarea de traer tu alma gemela hacia tu vida, muchas de tus expectativas y deseos serán evidenciados, dándote así la oportunidad de examinarlos, de alterarlos, o incluso de descartarlos, si lo consideras necesario. Eso puede incluir expectativas irracionales, o ideas y sentimientos que no tienen ninguna relación con el hecho que quieres manifestar.

Fred me dijo: "Pensé que había encontrado a mi alma gemela, pero ella no era lo que yo estaba es-

perando, así que decidí no establecer la conexión".
¿Cómo pudo saber eso sin haber llegado a conocerla
mejor? Sus expectativas y sus juicios estaban interfiriendo en su camino.

El hombre ideal de Lesley era de dos metros de
estatura y musculoso; exactamente así lo estaba buscando. En este caso, ella también estaba buscando llenar sus expectativas y no su realidad. Encontró todas
las clases de hombres que encajaron en su ideal, pero
ninguno de ellos resultó ser su alma gemela.

Sólo en el momento en que descartas tus expectativas y empiezas a soñar, a imaginar y a llamar a tu alma
gemela, es cuando comienzas a sentir las características
físicas, emocionales y espirituales de esa persona. Después de que Lesley hizo estos ejercicios, descubrió
que su alma gemela era más bajo de estatura de lo que
ella creía, lo cual originó en ella un fuerte impacto; además pesaba un poco más de lo esperado, por
lo que tampoco se sintió muy contenta. Eso la obli-
gó a confrontar sus actitudes con respecto a las ideas
de peso, de estereotipos estéticos agradables, la carencia de perfección física, es decir, de todo lo que
coincidentemente, estaba relacionado de manera muy
estrecha con sus propios problemas de autoestima.

Por suerte, cuando lo conoció en persona, ella ya
había confrontado su ansiedad y falta de seguridad

en sí misma. Resultó que él no era ni tan bajito, ni tan gordo como lo había temido. Al fin y al cabo ella pudo sobreponerse y aceptarlo puesto que él —y es lo más importante— era la persona indicada para ella.

Cómo usar este libro

Ahora que tienes abierto este libro, es posible que sientas la tentación de poner en práctica aquellos ejercicios que te llaman la atención y descartar los que no tienen ningún interés para ti. Esto sucede debido a que estas ideas cubren una amplia gama de posibilidades. Algunas de ellas te van a guiar hacia la liberación de los viejos patrones de comportamiento, mientras que otras están estrictamente estipuladas hacia la atracción. Es posible que te sientas inclinado a hacer todos los ejercicios relacionados con la atracción y ninguno de los que se tienen que ver con la liberación.

¡Resístete a esa tentación!

Si no realizas el trabajo de liberación, entonces los ejercicios de atracción no tendrán el mismo poder o el mismo impacto. Necesitas hacer los dos, tanto los de liberación como los de atracción. Los de liberación para permitir que los viejos patrones desaparezcan y los de atracción para que permitan que los nuevos entren a funcionar.

No hay necesidad de ejecutar todos los ejercicios. Después de todo, son veintiuno en total. Revísalos y escoge los que te parezcan que son los más correctos de acuerdo a tu caso (dirígete a la página 59, titulada "Antes de empezar", para una guía de los ejercicios que pueden ser más apropiados para tu nivel de compromiso). Tampoco es necesario que sigas con extremada rigurosidad estos ejercicios. Si descubres que deseas hacerles alguna variación, ya sea porque consideras que así te agregan más vitalidad o le dan más poder a la experiencia, siéntete libre para hacerlo. El hecho de hacer alguna variación no va a modificar la estructura de los ejercicios.

Al ser esto parte de tu crecimiento espiritual, tendrás a tu disposición diferentes herramientas que te van a ayudar en tu trabajo. Por separadas, cada una de ellas tienen sus propias fortalezas; como grupo, son increíblemente poderosas.

Cada ejercicio fortalece tu habilidad para atraer a tu alma gemela. Después de todo, es posible que ella también esté intentando encontrarte. Ellas saben que tampoco son felices, aun cuando en este momento estén involucradas en alguna clase de relación. Eso es justamente lo que hacen estos ejercicios; conseguir que te sintonices con tu alma gemela.

Advertencias

Las relaciones

Si te sientes culpable por llevar a cabo este tipo de trabajo debido a que estás teniendo una relación, entonces no lo hagas. Lo que estás pidiendo se manifestará y entonces te vas a ver envuelto en un verdadero embrollo. ¡Por tu propio bienestar, no trabajes sobre la manifestación de tus almas gemelas, si no estás preparado para establecer una relación con ellas!

Sin el entusiasmo suficiente

El exceso de horas de trabajo te puede conducir a un agotamiento. No intentes abarcar quince ejercicios en una misma semana. Esto no te otorgará el beneficio que deseas, ni tampoco te brindará la clase de experiencia que estás buscando. Eso sería como echarte un clavado en una piscina congelada; en otras palabras, tu cuerpo recibirá un impacto de tal magnitud que podría significarte una afección física o desarrollar en ti una reacción hostil hacia la expresión "alma gemela".

Relájate; tómalo con calma. Lo único que tienes que hacer es comprometerte con el proceso. Permite que todo avance y se desarrolle a su paso y a su ritmo natural.

Algunos de estos ejercicios se han diseñado para ser realizados durante todos los días, tales como los de los cánticos, las afirmaciones u órdenes y las limpiezas. Otros necesitan de una suficiente preparación mental. Date a ti mismo el tiempo necesario, no solamente para hacer el trabajo, sino también para sacarle gusto, para saborearlo, para sentir su completo beneficio dentro de tu cuerpo y dentro de tu campo de energía.

Libre voluntad

Invocar a tu alma gemela es una meta aceptable, pero es necesario hacer una advertencia, y es muy importante; se trata de la libre voluntad. En otras palabras, debes tener en cuenta que la otra persona puede escoger no venir hasta ti o no quedarse contigo.

Estos ejercicios no te otorgan la facultad para atropellar la libre voluntad de las demás personas, ni para ignorar sus derechos. Debe ser tanto decisión de ellas como tuya, si es que desean establecer una relación entre ustedes. Recuerda que todos tenemos derecho a elegir lo que queramos a partir del buen uso de la libre voluntad.

A continuación puedes encontrar algunas de las posibles razones por las cuales la relación no funcione:

- La conexión no estaba destinada a realizarse.
- No estás listo para hacerlo.

- Decidiste antes de nacer no encontrarte con tu alma gemela en esta vida.
- Existe algún asunto en el camino del cual necesitas ocuparte (karma) antes de que se logre el encuentro.

Ésa es la razón por la cual este trabajo debe incluir las palabras en alineación con mi más alto bien. Eso no significa que lo que piensas sea lo que quieres, sino que tu propio ser superior sabe lo que es correcto para ti. Es posible que sientas un poco de dolor en el momento en que las cosas no estén funcionando como quisieras, pero en el futuro te alegrarás de no haber cometido errores.

Mi advertencia

A pesar de que no te puedo hacer ninguna promesa sobre el hecho de que vayas a encontrar a tu alma gemela —después de todo sólo tú sabes si en realidad estás listo—, hay algo que sí te puedo garantizar, y es que cambiarás.

Limpiando el armario

Las personas con mucha frecuencia olvidan una parte muy importante del rompecabezas de las relaciones cuando intentan atraer a su alma gemela. Me refiero a la parte que dice: "Para permitir que una cosa nueva entre en tu vida, entonces tienes que liberarte de las cosas viejas".

Piensa en esto como una especie de limpieza que debes hacerle a tu armario psicológico, permitiendo que se vaya todo aquello que sea anticuado e inútil. Esto significa que necesitas deshacerte y liberarte de tus miedos, hábitos, viejos amores y tradiciones familiares que te mantienen adherido al pasado, con el objetivo de prepararte mejor para recibir a tu alma gemela.

Imagínate un armario lleno de ropa donde aún guarda trajes viejos, deteriorados y pasados de moda. Entendiendo lo anterior como una metáfora, significa que estás esforzándote por mantener ideas, hábitos, creencias y miedos, sin importar qué tan inútiles o desactualizados estén. Ya es hora de examinarlos, de sacarlos y desecharlos. Al hacerlo estarías abriendo espacio dentro de ti para aceptar algo nuevo a un nivel más alto de desarrollo.

¿Qué necesitas para cambiar tus patrones internos de comportamiento? Es importante empezar la limpieza en el nivel físico, por ejemplo con un armario (si no quieres comenzar con tu armario, entonces hazlo con el sótano, el garaje o la cocina). No importa cuándo se haga, lo principal es establecer qué es lo que realmente quieres conservar y qué debes desechar.

Reserva un día completo para limpiar totalmente tu armario. Créelo o no, éste es un proyecto que te exigirá en forma física y emocional. Desechar tu ropa, especialmente tus trajes antiguos preferidos, puede resultar traumático.

A medida que vayas organizando tu ropa, ten en cuenta las siguientes preguntas o declaraciones:

- ¿Realmente me gusta (o necesito) ponerme esta prenda? (sobre todo si está muy deteriorada, sucia, manchada, vieja, y/o si me avergonzaría si la usara).
- ¿Es esto algo que nunca me voy a poner? (es muy grande, pequeño, o está mal cortado, o no me luce bien).
- ¿Acaso lo conservo solamente por su valor sentimental, aunque esté pasado de moda? (a mi primer novio le encantaba verme puesto este vestido aunque ya no se use).

- Nunca me lo he puesto, pero me gustaba cuando lo compré; tal vez pueda ponérmelo algún día (y desde entonces sólo sirve para acumular el polvo).
- Luzco bien cuando me lo pongo, pero nunca lo he usado en una ocasión especial, o ¿cuántos del mismo estilo necesito?
- Es como si fuera un viejo amigo aunque está totalmente deteriorado —los amigos no dejan a los amigos lucir mal.
- ¿Hace cuánto tiempo que estos trajes ya no me quedan bien? (bueno, sigo confiando en la fuente de la eterna juventud; tal vez el próximo año o después de que haya perdido peso y recupere la figura que tenía... y así sucesivamente).

Si tienes prendas de vestir que encajen en algunos de los anteriores criterios, entonces es hora de que las deseches por completo (funciona de la misma manera con las creencias o con los comportamientos pasados de moda). Guarda sólo la ropa que utilizas y que esté en buen estado. Bota toda aquella que no usas y que nunca te vas a poner, la que ya está desgastada, la que está pasada de moda, porque se te ve mal o porque no te queda bien. Todas esas prendas reflejan las actitudes que tienes acerca de ti mismo, que no son realistas, sino anticuadas o te limitan de cualquier cosa buena que pueda llegar a ti, como por ejemplo, tu alma gemela.

Quizás necesites varias sesiones para botar la ropa que realmente tienes que desechar. Una vez que lo hagas, descubrirás algo extraordinario: Vas a experimentar una sensación de satisfacción increíble, de triunfo y un enorme alivio; inclusive hasta temor por el hecho de abandonar los viejos problemas y salir a enfrentar lo desconocido. Cuando descartas todas esas cosas que te han detenido, también estás dejando atrás una enorme carga emocional que no sabías que llevabas a cuestas.

Si haces el trabajo correcto, terminarás con un armario que contiene una tercera parte, ¡no con una tercera parte del armario vacío! El siguiente paso es no hacer nada, por lo menos, durante un mes. Tómate un tiempo para acostumbrarte a tu nuevo espacio físico y emocional. Así permitirás que tu mente y cuerpo se adapten al nuevo ambiente. Cuando finalmente decidas comprar nueva ropa, ésta reflejará al nuevo tú.

Lois tenía un armario de pared a pared completamente lleno de ropas adquiridas durante veinte años. Por el hecho de sufrir de sobrepeso, tenía ropa de diversas tallas, las cuales reflejaban los altibajos de su cuerpo. En su esperanza de perder peso, ella siempre soñaba con lucir aquellos trajes de menor talla. Le recomendé que aun cuando volviera a tener su peso ideal, para entonces esas prendas ya estarían pasadas de moda, así que no existía ninguna razón válida para mantenerlas guardadas. Además, ya era hora de que se aceptara tal y como era en este momento.

Ella se pasó un mes limpiando completamente su armario. Para cuando terminó, su armario tan sólo estaba ocupado en una sexta parte de su capacidad. Mientras que botaba todas esas prendas, me decía que había sido una de las experiencias más dolorosas en toda su vida, debido a los recuerdos, a las creencias, a los sueños y a los miedos que se asociaban con ellas. Cuando terminó de hacerlo, sintió que se había quitado de encima una enorme carga. Ese hecho se reflejó en su vida de manera asombrosa. Ella decidió cambiar su antigua relación, cambió su trabajo estresante, cambió su vida para mejorarla y empezó a perder peso.

Esto también sucede en una relación con el alma gemela.

Recursos

Antes de omitir esta sección, es bueno conocer algunos de los recursos a los cuales puedes acudir, ya sea en el aspecto físico o espiritual. Al momento de llevar a cabo este intenso trabajo, vale la pena acudir a aliados para que brinden apoyo y buenos deseos.

Dos de ellos serán mencionados con frecuencia en estos procesos: Tu ser superior y los ángeles. Su importancia radica en la buena intención para ayudarte sin limitaciones ni cuestionamientos.

Tal vez no lo creas, pero tan pronto inicies tu trabajo para encontrar tu alma gemela, es normal que se presenten muchas dudas y temores sobre tu capacidad para establecer relaciones. Tu ángel y tu ser superior te recordarán qué tan valioso eres, así como resaltarán los méritos que ya posees para establecer una relación con tu alma gemela. Permíteme describir con un poco más de detalle estos recursos.

Tus recursos

EL SER SUPERIOR

Tu ser superior es tu alma sabia e inmortal. Él actúa como el puente entre Dios Padre/Madre y tú; sus mensajes claros son difíciles de escuchar debido a la interferencia emitida por el hablar y el juzgamiento continuo de tu mente. La meditación o cualquier otra práctica que logre tranquilizar tu mente te permite experimentar la sabiduría y amor de tu ser superior.

Él sabe todo sobre ti y no omite ningún defecto que te encuentre. Él no se deja influenciar por factores externos ni por tu mente; ni se deja agobiar por tus miedos y necesidades. Quizás no te valores a ti mismo, pero tu ser superior no lo hace; él sólo desea tu bienestar. Uno de sus deseos es que puedas encontrarte con tu alma gemela (siempre y cuando esté sobre los mismos lineamientos del más alto de los bienes).

El ángel guardián

Tu ángel guardián es un ser que ha decidido convertirse en tu compañero invisible. Es posible que tengas uno o varios ángeles guardianes. Al igual que tu ser superior, ellos tienen las mejores intenciones, pero a diferencia de tu ser superior, ellos no forman parte de ti. Ellos pueden ser personas allegadas a ti cuando estaban vivos, tales como tus abuelos, quienes han regresado para cuidarte, sólo que ahora están en una forma incorpórea; también puede tratarse de seres que no tienen ninguna relación contigo.

Al igual que tu ser superior, tu ángel guardián te proporciona sugerencias sabias, pero su propósito más importante es el de protegerte y el de ayudarte a desarrollar tu trabajo.

Los niños están más sintonizados con la idea de los ángeles guardianes. De hecho, esos amigos invisibles a quienes los niños les hablan son usualmente sus ángeles guardianes que les brindan una compañía llena de amor.

LOS ÁNGELES

Muchas personas creen en las intervenciones de los ángeles, aunque no puedan aceptar el concepto de la existencia de un ser superior o de un Dios Padre/ Madre. Los ángeles son una especie de intermediario seguro. Al ser evocados, los ángeles, te extenderán su mano en una forma muy cordial.

Los seres superiores y los ángeles se presentan de muchas formas, tamaños y dimensiones. Algunos pueden aparecer en forma de dios o diosa; otros pueden parecer como tú o yo, o ser simples formas de energía. Otros pueden ser percibidos como presencias invisibles aunque tangibles. Es posible que no puedas llegar a percibirlos de ninguna manera. Pero a pesar de que no hayas podido detectar a tu ser superior cuando los has evocado, ellos siempre han permanecido ahí contigo para ayudarte.

Ejercicio para encontrarte con tu ser superior o con tu ángel guardián

Puedes desarrollar este ejercicio en el momento que lo prefieras, pero recomiendo hacerlo antes de iniciar los ejercicios relacionados con las almas gemelas.

• Imagínate un lugar especial —una habitación amueblada a tu gusto, un bosque o un prado encantador, una montaña o una playa a la orilla del mar—. Puedes inventarte el paisaje que quieras.

• Pídele a tu ser superior o a tu ángel guardián que se encuentre contigo en ese lugar. Nota sus aspectos. Date cuenta de su presencia. Podrías sentir el amor que ellos sienten por ti. Si es así, déjate empapar por su amor.

• Permíteles conocer que tu deseo es atraer a tu alma gemela y que te gustaría que te ayudaran. Es posible que obtengas una respuesta inmediata, aunque no es necesario que suceda.

• Después de un buen rato, abre tus ojos y regresa, mientras que vas recordando que puedes llamar a tu ser superior o a tu ángel guardián en cualquier momento. Ellos siempre estarán ahí.

El altar

Otro recurso que considero importante es uno inanimado. Se trata de un altar. Sirve como un punto de concentración para tus objetos sagrados.

Tu altar es tu espacio sagrado. Puede ser un estante, una repisa o una mesa. En ella puedes extender todos aquellos objetos que tienen un valor sagrado y un significado muy especial para ti. Los altares se utilizan para evocar diversas clases de energía y ciertos seres superiores. Cuando te sientas enfrente de él y oras o meditas, sientes una conexión con Dios Padre/Madre, con tu ser superior, con tus ángeles o con cualquier otro ser trascendente.

Algunos de estos ejercicios involucran la creación de objetos específicos. Una vez realizados, mantenlos en tu altar como un recordatorio constante de lo que estés convocando. Esto es importante en el momento de evocar la esencia de tu alma gemela. A medida que te concentras sobre uno de tus talismanes, mientras ejecutas los cánticos, haciendo los decretos, o llevando a cabo los ejercicios, además reforzarás el poder de tu trabajo.

Si prefieres no colocar tus objetos sobre el altar —tal vez por falta de privacidad o porque pueden ser molestados—, colócalos en un recipiente dedicado específicamente para conservar tus objetos sagrados.

No los mezcles con tus pertenencias de uso cotidiano. El trabajo relacionado con el alma gemela es algo muy especial; genera una clase particular de vórtice de energía. Al dejar tus objetos sagrados mezclados con tus utensilios de uso cotidiano, tu trabajo se disminuye y la energía que quieres construir también se dispersa.

Si no tienes un altar, puedes construir uno. ¿Qué clase de altar es el más apropiado? No tiene que ser muy detallado. El más simple es a menudo una repisa o una mesa pequeña, en la cual puedes colocar tus objetos sagrados —esos artículos que son espiritualmente significativos para ti, como las velas, los cristales, los cuadros, las estatuas, etcétera—. Encontrarás un ejemplo de altar más adelante.

Un altar puede contener cualquiera o la totalidad de los siguientes elementos:

- Objetos procedentes de los sitios sagrados, tales como Stonehenge, Mt. Shasta, Glastonbury, Egipto o Sedona.
- Una fotografía del Dalai Lama.
- Cristales y minerales.
- Libros sagrados que reflejan tu práctica espiritual.
- Estatuilla de Buda o de Kuan-Yin.
- Figuras de los ángeles.
- Velas de colores para quemar.

- Flores.
- Inciensos.
- Otros objetos que simbolicen su objetivo.

Una vez que hayas colocado los objetos relacionados con tu alma gemela en tu altar, ellos se impregnarán con las energías de este sagrado espacio.

ELEMENTOS NECESARIOS

A lo largo de los ejercicios, menciono la utilización de diferentes clases de objetos, tales como los inciensos para enfatizar el amor —o cualquier otra mezcla de incienso—, el aceite del amor, las velas de colores específicos, los cuadros de las divinidades o las estatuas. Estos artículos los puedes encontrar en las tiendas de utensilios metafísicos o en almacenes especializados, en viveros herbales o botánicos y en Internet.

Otros sitios para conseguir los elementos necesarios pueden ser las tiendas de misceláneas en tu localidad. Allí podrás encontrar cosas interesantes, tales como las velas y manteles. Dirígete a la lista de recursos que aparecen en la parte final de este libro.

Cualesquiera que sean los recursos que desees reunir para tu altar, permite que sean tu creatividad y sabiduría interna las que tomen las decisiones. Después de todo, esto constituye una expresión de tu propio ser, de tu espíritu y de tu intención más alta. Además, este trabajo, entendido como algo para lo cual has puesto todo tu espíritu, mente y cuerpo entero, será exitoso siempre y cuando aquello de lo que te rodees esté a tono contigo mismo y te ofrezca un sentido de amor y de alegría.

Preparación

Evocar a tu alma gemela requiere de las condiciones adecuadas y de una actitud apropiada. Después de todo, es un asunto muy serio. El primer paso es tener tiempo disponible, un espacio tranquilo y cero distracciones.

Si las personas a tu alrededor exigen tu atención, eso significa que no es el momento, ni el lugar para trabajar en este proyecto. En ese caso, necesitarás encontrar un lugar donde no vayas a ser distraído, ni perturbado.

Deberás prepararte tú mismo en el sentido energético. No puedes meterte de lleno en este trabajo de un día para otro. Es mejor hacer una transición paulatina desde la realidad cotidiana, hasta tu espacio sagrado. Esto puede lograrse practicando la meditación, el yoga, la purificación de la energía y la conexión con la Tierra. Estas técnicas te ayudarán a convertirte en una persona equilibrada, con mayor claridad y con una disposición más sana para realizar cualquier cosa.

A continuación sugiero varios ejercicios que te ayudarán a prepararte para el proceso: Conectarse con la Tierra, purificación de la energía y recuperar tu energía.

El ejercicio de conectarse con la Tierra

Éste es el ejercicio más importante de todos porque te reubica otra vez en tu cuerpo y te recuerda que estás anclado a la Tierra. Eso es muy reconfortante para tu cuerpo físico que a menudo se siente como si se encontrara a la deriva o abandonado a su propia suerte, mientras que tu mente/conciencia transita en su propio camino.

Entre más conectado estés con la Tierra, más aumenta tu grado de conciencia; lo cual te permite sentir la presencia de tu alma gemela o de tu ser superior. Todas tus experiencias tendrán mucho más significado y poder.

A continuación aparecen dos métodos simples para conectarse con la Tierra.

MÉTODO 1

Imagínate un rayo láser de luz que cae desde la base de tu columna vertebral hacia la Tierra y se aferra al centro del planeta. Permítele que se extienda por todo lo ancho desde tu columna vertebral hasta que abarque la totalidad de tu cuerpo. Después permítele a ese rayo de luz que se vaya expandiendo hacia arriba, hasta que se conecte con el Sol.

MÉTODO 2

Imagínate las manos de la Madre Tierra surgiendo desde sus entrañas y rodeándote por completo, sosteniéndote suavemente en sus manos.

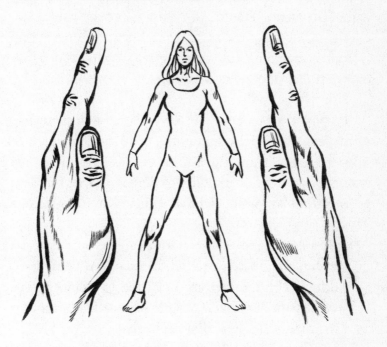

Este método de conexión es recomendado cuando te sientas cansado, conmocionado, desconcertado o cuando te encuentres en una encrucijada en la cual no puedes pensar de manera sensata. No importa la situación por la que estés atravesando. Permite que la Madre Tierra te sumerja en sus entrañas; verás cómo es de confortable y de sencillo. Ella se encargará de hacer el trabajo.

El ejercicio de la purificación de la energía

Purificar tu espacio personal es esencial para este trabajo. Sin darnos cuenta, al caminar recolectamos las energías de otras personas. Esto se lleva a cabo al interactuar, conversar y caminar. Limpiar tu aura todos los días te traerá buenos resultados.

La purificación también te ayudará a definir tu límite personal. Di lo siguiente: "Éste es mi espacio. Yo pertenezco aquí, y todos los demás pertenecen al exterior". Esto no te aísla de los demás, ya que puedes permitir personas especiales al interior de tu espacio.

- Para limpiar todas las energías ajenas a tu espacio, imagínate sosteniendo una gran peineta dorada con dientes largos, la cual utilizarás para cepillar tu aura hacia afuera. Mueve físicamente tus manos desde arriba hacia abajo a través de todo tu cuerpo, desde la cabeza hasta los pies, como si estuvieras peinando una cabellera larga que llega hasta el piso.
- A medida que peinas tu aura, permite que los desechos caigan a la tierra, en donde pueden ser reciclados como energía neutra.
- Permite que una bola grande y dorada, parecida a la luz del Sol, corra desde tu cabeza. A medida que se resbala por tu cuerpo y esparce su luz

curativa hasta el borde de tu aura, formará un campo de fuerza dorado a tu alrededor. Así habrás limpiado y definido tu espacio.

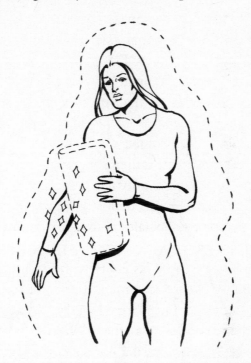

El ejercicio de recuperar tu energía

Debido a que la energía externa se adhiere a tu aura, es lógico suponer que tú también dejas tu energía adherida en otros lugares. La siguiente técnica sirve para llamar de nuevo a tu energía, la cual has perdido y has dejado regada detrás de ti.

- Cierra tus ojos e imagínate que tienes un silbato de energía, como el utilizado para llamar a los perros. Hazlo sonar para que tu energía regrese a ti.

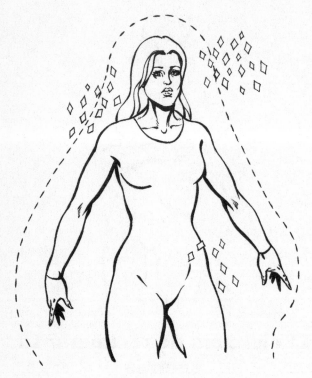

- Después de un momento, pedazos de energía empezarán a flotar dirigiéndose hacia ti; ellos pueden parecer como copos de nieve, gotas o chispas.
- Tómate unos cinco minutos para permitir que tu energía regrese a ti. Es posible que lleguen

a tu mente recuerdos del pasado. Eso significa que tu energía había salido durante esas experiencias.

Es muy importante hacer estos ejercicios previos todos los días para alcanzar el máximo beneficio. En cualquier caso, sugiero que los hagas antes de empezar a realizar cualquiera de los ejercicios que vienen a continuación.

La foto instantánea

¿Cómo sabrás si lo que estás haciendo ha cambiado tu vida? No lo sabrás, a menos que establezcas una imagen tuya de cómo eras antes y cómo eres ahora. Es como ver fotografías de tu niñez y adolescencia en las cuales se nota el cambio de manera dramática.

De la misma forma experimentarás una profunda transformación para cuando hayas terminado el libro, sin embargo es posible que no lo notes. Durante el proceso de tu trabajo es difícil notar el cambio interno. Este cambio se manifiesta en las respuestas que vas dando a determinadas preguntas, las cuales reflejan la transformación en tus actitudes, creencias y sentimientos.

Ésa es la razón por la cual sugiero que elabores una especie de foto instantánea de ti mismo antes que empieces a ejecutar los ejercicios. Ésta será una herramienta muy útil para establecer tu crecimiento personal.

Utiliza este formato y respóndelo con la información personal que se solicita. No se trata de elaborar un inventario de tus defectos o de las características con las que no estás conforme. El interés de esta lista es darte una idea acerca de las características correctas que posees en este momento, en todos los aspectos; es decir, la forma en la que te sientes tú mismo, cómo eres, lo que te gusta, lo que sueñas, tus aspectos positivos, tus ideales y tus obstáculos personales.

Al ser esta información exclusivamente para ti, deberás ser lo más honesto posible. De lo contrario, el único que resultaría engañado serías tú mismo.

Copia o transcribe este formato en una hoja de papel y respóndelo. Ten cuidado de no perderlo.

Una vez completado tu inventario, guárdalo hasta que hayas terminado de desarrollar todo el libro. Al final encontrarás otra lista para comparar las respuestas de este momento con las que acabas de responder.

El formato de la fotografía instantánea

Gustos en general (cualquier cosa)	Cosas que no te gustan (cualquier cosa)
Cualidades generales que te gustan	Cualidades personales que no te gustan
Tus características (ésas que te hacen diferente de todo el mundo)	Cómo te gustaría ser
Los miedos (personales y globales)	Pareja ideal
Las esperanzas y los sueños (para ti y los demás)	El mundo ideal (en los negocios y en el hogar)
Las creencias espirituales	Qué es importante para ti

Antes de empezar

Ahora que has terminado tu trabajo de preparación, ya estás listo para llevar a cabo los ejercicios. Antes de empezar cada procedimiento, te recomiendo que te conectes con la Tierra, peines tu aura y te llenes con tu propia energía. Entre más aportes a tu energía, más fuerte será el impacto que el ejercicio tendrá en ti y en tu alma gemela.

Cada ejercicio deberá durar no más de una hora. Si continúas con el proceso más allá de ese término perderás concentración y energía. Eso no debe ocurrir.

Quizás debas adaptar algunos ejercicios a tus necesidades específicas. Los pasos presentados me han dado buenos resultados, pero éste es tu trabajo y nadie lo conoce mejor que tú. Es posible que descubras variaciones que te sirvan y decidas adoptarlas. Haz los cambios necesarios, después de todo, se trata de tu propia vida y de tu relación con tu alma gemela.

Diviértete con los ejercicios. Avanza en tus conocimientos, disfruta y buena suerte.

Cómo hacer los ejercicios

Es posible que necesites una guía a medida que desarrolles los ejercicios. A continuación aparece un curso básico sugerido, de acuerdo con tu nivel de interés y de preocupación. He establecido cuatro categorías, que van desde el nivel "Muy tentativo" hasta el nivel "Realmente comprometido"; en cada una de ellas aparecen relacionados los ejercicios que te sugiero ensayar de acuerdo a cada nivel.

MUY TENTATIVO
Si te consideras como todo un principiante en este tipo de trabajo, y todavía no estás muy seguro de qué se trata todo esto, entonces haz los siguientes ejercicios: 2, 3, 11, 12, 15, 16, 18 y 19.

TENTATIVO
Si estás explorando la posibilidad de tener una relación con tu alma gemela, pero no estás seguro si estás listo, entonces haz los siguientes ejercicios: 1, 3, 6, 9, 11, 12, 13, 15, 16, 18 y 19.

COMPROMETIDO
Si estás listo, pero aún así quieres ir despacio, entonces haz los siguientes ejercicios: 1, 2, 4, 5, 7, 8, 9, 10, 11, 12, 13, 14, 15, 16, 17, 18 y 19.

Realmente comprometido

¡Ya llegó el momento! Haz el que quieras o hazlos todos.

El ejercicio de la buena voluntad

Como una prueba de tu buena voluntad y disposición para atraer a tu alma gemela a tu vida, haz el siguiente ejercicio:

- Imagina una pantalla de televisión; en ella aparecen dos gotas de luz, una es roja (tú) y la otra es azul (tu alma gemela).
- Permite que las dos gotas se desplacen la una hacia la otra. ¿En qué forma se aproximan entre sí? ¿Lo hacen de manera rápida o lenta? ¿Ellas se funden la una en la otra o simplemente se tocan entre sí? O ¿queda algún espacio entre ellas? Nota lo que ocurre.
- Si se funden entre sí, eso significa que estás listo para establecer una relación. Si se están tocando, significa que estás tentado en establecer una relación pasajera. Si no quieren acercarse, no estás seguro de involucrarte en una relación. Esto posiblemente va a cambiar a medida que vayas realizando tu trabajo.

PARTE 2
Los ejercicios

1. Llamar a la esencia de tu alma gemela

El ejercicio del llamado a la esencia del alma gemela es el más importante en este libro. De él provienen casi todos los demás ejercicios. El propósito principal es permitirte tocar la energía de tu alma gemela —quizás por primera vez en toda tu vida.

Esto confirma que sí tienes un alma gemela y que estás trabajando para establecer un vínculo con cada una de ellas. Cada vez que establezcas esta conexión, forjarás una estrecha relación entre ustedes dos.

Quizás algunos de ustedes estarán pensando: "¿Qué pasaría si no logro ver, percibir o sentir algo?". Eso es completamente posible. Aún cuando la esencia de cada una de ellas esté tocándote, es tu mente la que está bloqueándolo y, de esa forma, evitando que puedas percibirlas.

Ya he mencionado que la sola idea de encontrarte con tu alma gemela puede causar miedo, puesto que traerá consigo cambios sustanciales para el resto de tu vida. Una manera de protegerte a ti mismo es no percibir nada en los momentos en que llamas a tu alma gemela.

Sin importar lo que veas o sientas, continúa evocando la esencia de tu alma gemela y pretende que ella está allí. No importa si todavía no has notado nada, lo que vale es la intención —tu propio intento— para establecer esta conexión.

Es posible que no puedas ver o percibir a tu alma gemela en las primeras sesiones. Eso es normal. Tarde o temprano "de repente" podrás ver o sentir la existencia de tu alma gemela. Para entonces ya habrás enfrentado muchos de tus temores internos y ¡allí los confrontarás!

Mientras esperas a tu alma gemela, especialmente la primera vez, es probable que escuches voces internas que te recriminan, que se quejan o argumentan. Se trata de algunas partes de ti que sienten temor a cualquier modificación establecida hasta ese momento. En efecto, cada una tiene su propia misión, la cual puede tener o no las mejores intenciones.

Al conocer a tu alma gemela, muchas cosas van a ser diferentes. La mejor manera de manejar esas voces internas es reconocerlas. Simplemente agradécele a cada una de ellas por compartir sus preocupaciones contigo. Te sorprenderás de los resultados. Es como un niño que llora para llamar la atención; una vez que es atendido, se calma y se aleja. Si lo ignoras, será cada vez más insistente.

Ésa es una de las razones por las cuales debes traer a tu ser superior o a tu ángel guardián a este encuentro. Ellos te darán la mano para que te protejas de estas partes internas y para que, en términos generales, te puedas sentir más seguro.

Duración: 30 minutos.

- Ubícate en un lugar tranquilo, alejado de las distracciones; solo en la casa; en un escenario natural; en un sitio calmado o en una biblioteca. Si es posible, escucha música suave, apropiada para meditar. Haz unas cuantas respiraciones profundas que te conduzcan hacia un estado de relajación.
- Cierra los ojos.
- Haz los ejercicios de la conexión con la Tierra, la purificación de la energía y el de la recuperación de tu energía.
- Imagínate que estás en un lugar especial donde te sientes bien; puede ser en una habitación, en un lago, un bosque, el océano, las montañas o un prado. Relájate en medio de ese ambiente especial. Respira las fragancias de las flores y de las plantas o percibe el aroma salado del océano; escucha los sonidos de los animales, el canto de los pájaros, el susurro de las hojas de los árboles, el golpeteo del agua. Permítele a tus sentidos ponerse en contacto con ese

mundo maravilloso. Respira profundamente en forma rítmica.

- Llama a tu ser superior o a tu ángel guardián. En un momento notarás su presencia. Permíteles que toquen tu hombro o tu corazón para confirmar su presencia. (Si no los notas, tarde o temprano los vas a sentir).

- Pídeles que te traigan la esencia de tu alma gemela. Es posible que percibas algo o a alguien acercándose hacia ti. ¡No te olvides de mantener rítmica la respiración! ¡No te alteres que no es un ogro!

- Ahora es posible que tus voces interiores que te recriminan, se quejen o discutan. Simplemente agradéceles el hecho de querer compartir sus preocupaciones contigo. ¡Respira!

- Dirige tu atención hacia tu alma gemela. Invita a tu esencia a que se acerque hasta tu cuerpo. Si lo deseas, imagínate que se están abrazando. Si la situación es incómoda, sólo acepta la cantidad de esencia que te parezca suficiente. Es prudente hacer esta conexión de una manera paulatina. Tienes el tiempo suficiente para hacerla cada vez más íntima.

2. Hacer una lista

Hacer una lista es una excelente manera de solicitar las cosas que quieres en una relación puesto que es una forma de convertir tus deseos vagos en una solicitud real y tangible. También especificará tus prioridades, es decir, lo que estás dispuesto a aceptar y lo que no.

Ya hemos manifestado la importancia de deshacerse de los miedos, las creencias, los modelos y los traumas que se interponen en el camino de tu relación con tu alma gemela, ya que impiden atraer esa relación especial.

Una de las formas en la que ellos te afectan es a través de tus preconcepciones establecidas de una pareja deseada. Aquí es donde radica la diferencia entre lo que significa tu "compañero ideal" y tu "compañero correcto".

Tu compañero correcto normalmente no resulta ser tu compañero ideal. Pero antes de que consigas al correcto, tienes que tratar con el ideal; si no confrontas, ni renuncias al ideal, es posible que estés descartando a tu alma gemela.

Los ideales provienen de alguna parte; ellos no aparecen simplemente así porque sí. Los ideales constituyen una amalgama en la que se mezclan las creencias, las necesidades y los patrones de comportamiento de tu niñez y juventud, los cuales has ido adquiriendo e interiorizando consciente o inconscientemente. De ellos es que moldeas la imagen de tu compañero ideal; por consiguiente, compara a cada una de las personas que se encuentran con este ideal. Generalmente, tu ideal tiene cualidades que consideras te hacen falta a ti mismo (por ejemplo, el ideal es calmado mientras que tú fácilmente te sales de tus casillas o el ideal es generoso, mientras que tú tratas de conservar excesivamente hasta el último centavo).

Ese ideal es una reacción hacia algo de tu pasado, y es muy probable que atraigas a una persona que no es tu ideal, sino tu opuesto. ¿Cómo sé todo esto? Muchas personas me han dicho que: "Yo atraigo a la persona contraria de la que considero que es mi ideal".

Examina las relaciones que han sido importantes en tu vida. ¿Cuántas se asemejan a tu ideal y cuántas son todo lo contrario? Eso equivale a decir: "mi padre era así, de manera que yo buscaré ser lo contrario".

Tomemos la timidez como ejemplo. Si eres tímido, preferirías que tu compañero actuara como un catalizador entre tú y el mundo exterior. Sin embargo, ¿qué es lo que encuentras con mayor frecuencia? Es justamente a alguien que no sólo carece de voluntad para apoyarte, y por el contrario, te avergüenza o ridiculiza ante las demás personas.

Por otra parte, tu alma gemela es mucho más en conjunto. Es un individuo único que no es ni tu ideal, ni tu pesadilla. Ésa es la razón por la cual es importante hacer esta lista. Necesitas descubrir esos viejos patrones y liberarlos.

La lista corta de tajo la dualidad existente entre esta dinámica ideal-realidad. Este no sólo te concientiza acerca de aquello que estás buscando inconscientemente, sino que también libera tu energía a partir de las limitaciones que se puedan establecer dentro de ese ideal. Si siempre estás atrayendo a las personas que no son las correctas para ti, no estás dejando lugar para que la persona correcta llegue a tu vida. Esto permite una relación con alguien que sí es correcto para ti; y nadie es más correcto que tu alma gemela.

¿Qué necesitas hacer?

Necesitas hacer una lista de todas las cualidades que constituyen a tu compañero ideal y compararlas con el tipo de persona que estás atrayendo. Con este ejercicio puedes determinar tus ideales y tu realidad, analizarla y así no atraer ni el uno ni el otro.

Elementos necesarios: Tres hojas de papel y un lapicero.

Duración: 1 hora.

- Toma una hoja de papel horizontalmente y divídela en tres columnas.
- En la primera columna, enumera todo lo que quisieras encontrar en un compañero ideal. Espero que elabores una lista larga. Toma el tiempo necesario para enumerar las cualidades. Te garantizo que de esa forma vas a tener un criterio más determinado. Por ejemplo: "Mi ideal es inteligente".
- En la segunda columna escribe lo contrario de ese ideal; por ejemplo: "estúpido o tonto".
- En la tercera columna establece cómo tu compañero anterior encaja en la primera o segunda columna. ¿Cuál de esas cualidades les pudiste notar, inteligencia o estupidez? Quizá ellos son inteligentes para los negocios, pero son menos capaces para establecer relaciones sentimentales (haz más énfasis sobre la parte de las relaciones). Las personas más inteligentes a menudo no tienen sentido común. Ésa es una forma de estupidez. ¿Es eso lo que estás atrayendo?
- Sé honesto acerca de las cualidades de tu compañero anterior. Después de todo, este ejercicio está diseñado para tu mayor beneficio.

Lo ideal	Lo contrario	Lo real

- Una vez que hayas terminado de llenar la tercera columna, encierra en un círculo todo aquello que se asemeje con tus ideales que aparecen registrados en la primera columna.
- Resalta todos los aspectos de la columna tres que se asemejen a las características de la columna dos.
- Ahora analiza los resultados. Éste es un mapa de tus relaciones internas. ¿Qué clase de personas atraes, cuál es tu ideal? ¿Cómo te parece? ¿De cuáles aspectos estás consciente?
- En otro papel escribe una afirmación que convierta cada aspecto negativo en uno positivo; por ejemplo: "Me libero de todo lo estúpido o tonto que exista en mi vida".Ve bajando en la lista y convierte todo lo negativo en afirmaciones positivas.
- Escoge cinco o seis afirmaciones y repite cada una de ellas, de manera individual, de unas diez a veinte veces (no las repitas todas al mismo tiempo porque es tedioso).
- Cuando hayas terminado de repetir tus afirmaciones, imagínate la luz del Sol deslizándose por todo tu ser y llenando tu cuerpo con una luz dorada. El color dorado posee el más alto poder curativo y por lo tanto te ayuda a restablecer el equilibrio de tu estructura celular interior.
- Ahora llama a la esencia de tu alma gemela (ejercicio uno) y sintonízate con las cualidades

que tiene. Escribe tus impresiones en otro pedazo de papel. Esto es importante puesto que a
medida que vayas purificando los patrones de tu
ideal y tus contrarios, te irás sintonizando cada
vez más con lo que realmente es la energía de
tu alma gemela.

El viaje ideal

El siguiente paso es hacer un viaje a tu interior con
el objetivo de eliminar esos ideales que existen dentro
de ti. Al hacerlo, haces que tus afirmaciones sean más
fuertes y así aceleras la velocidad de la liberación de
los mismos.

- Cierra los ojos. Imagínate en un ascensor que
  va descendiendo hacia tu corazón.
- Sal de él y entra en una pequeña habitación en
  la cual guardas tu lista de ideales. Pueden estar
  dentro de un archivero, en un cajón, en un libro, etc. Sácala de donde quiera que esté.
- Rompe la lista en pedazos y quémalos. Mira
  cómo las llamas van encrespando los papeles
  hasta que se tornan negros y vuelan en el aire.
  Despídete de todos esos ideales anticuados.

3. Invitando a tu alma gemela a tu vida

El deseo de traer tu alma gemela a tu vida genera una pregunta crucial: ¿Es eso lo que quieres realmente? ¡Por supuesto que sí!, responderás. Ésa es una respuesta automática y puede ser verdad. . . hasta cierto punto.

Pero —y éste es un gran pero— es posible que eso no corresponda a tu realidad inconsciente. Aún cuando tu mente puede decir: "Dejaré entrar a mi alma gemela con mucho gusto", muchas veces no llega a ocurrir. No importa qué tanto tu mente lo haya deseado; todavía no se ha hecho realidad.

Hay dos posibles razones para explicar esto:

- Puedes estar colocando obstáculos porque no estás listo para aceptar a tu alma gemela. Todavía tienes situaciones por resolver.
- Aún cuando tu corazón está listo para recibir a tu alma gemela, tu estilo de vida no lo permite. Si ahora no tienes el tiempo o la energía para considerar una relación, mucho menos lo harás si se trata de una tan significativa como lo es la de tu alma gemela.

En la actualidad el estilo de vida determina la habilidad para establecer una relación de pareja.

Muchas personas no intentan iniciar una relación debido a la falta de tiempo. El trabajo o los hijos las absorben en su totalidad. Aún reconociendo la incapacidad para establecer una relación —y por estar lamentándose nunca se dedican a buscar a su alma gemela— no cambiarán su situación, puesto que sus prioridades son diferentes.

De esto se trata este ejercicio: ¿Qué tan resuelto (o cuánta capacidad) tienes para aceptar a tu alma gemela? Si dices que estás intentando hacer realidad una relación, pero todavía te estás rehusando de una manera inconsciente, entonces es importante que conozcas la razón que te atemoriza. O, ¿simplemente no tienes tiempo?

Para encontrar la respuesta, debes llevar a tu alma gemela en un recorrido a través de tu vida, de tu familia, de tu trabajo y de tus actividades, con el fin de determinar cómo se adapta a ti y a tus circunstancias. Eso te permitirá ver qué te está motivando, para qué estás listo, y qué está interfiriendo.

Este ejercicio también examina tus miedos, tus necesidades y tus expectativas. Si descubres que, por el momento, no quieres darle la bienvenida a tu alma gemela, no lo tomes como una señal negativa. ¡Por el contrario! Ahora tus motivaciones inconscientes están descubiertas y puedes enfrentarlas en un nivel consciente, no para atacarlas sino para examinarlas.

Quizás necesites algún tiempo para aceptar la idea de compartir tu vida con tu alma gemela. Te recomiendo ser paciente para evitar fracasos en tu relación. Por tal motivo en este momento sólo es necesario hacer los ejercicios de llamar a la esencia de tu alma gemela (ejercicio uno), el de los cánticos (ejercicio cinco), o el del trabajo con las órdenes (ejercicio seis).

En este ejercicio estarás invocando a tu alma gemela; no importa su apariencia, sólo imagínate un valor especial. Este ejercicio examina las expectativas y los miedos en ti y no la realidad de una relación.

Duración: 30 minutos.

- Siéntate cómodamente en una silla. No te acuestes en la cama o en el suelo, ya que podrías dormirte.
- Escucha música suave. Haz el ejercicio de conectarse con la Tierra, el de la purificación de la energía y el de recuperar tu energía.
- Cierra los ojos. Imagina que hay una puerta delante de ti. Al cruzarla, te encuentras en tu lugar de trabajo. Mientras que vas llevando a cabo tu

rutina diaria, imagina que tu alma gemela está llamándote por teléfono. ¿Qué sientes al hablar con ella durante esos pocos minutos, al compartir intimidades (decir "te amo"), o establecer contacto normal (decir "hola, ¿cómo estás?")? Nota si te siente gratificado o acosado, feliz o rechazado. Ella te propone ir a cenar. ¿Cuál es tu reacción? ¿Te sientes complacido? ¿Feliz? ¿Desearías que hubieran escogido otra noche, puesto que por el momento tienes mucho trabajo? O, ¿tan sólo te sientes cansado? O... ¡aquí voy otra vez!

- Ahora el día ha terminado. Sales de tu trabajo y ella te está esperando. ¿Cuál es tu reacción? ¿Te sientes presionado porque ella está allí? ¿Te causa alegría? ¿Cansancio? ¿Ansiedad? ¿Temor?

- Salen a cenar y luego van a casa por un rato. ¿Cómo te siente con ella a tu lado? ¿Confortable? ¿Tal vez confundido? ¿Acosado? Si te dan un beso, ¿respondes de manera sincera, o tu mente está en otra parte, como por ejemplo, en el proyecto que necesitas llevar a cabo para este trabajo, o quizás en las mil cosas que no se han podido hacer por estar todo el tiempo con ella? (Sí, es cierto que estoy haciendo énfasis en los aspectos negativos, pero es necesario que seas honesto contigo mismo). Si ninguna de estas emociones negativas surgen dentro de ti, enton-

ces estás dispuesto a considerar como posibilidad real la de entablar una relación.

• Ella te propone pasar juntos el fin de semana.
¿Cuál es tu reacción inmediata? Se trata de un
¡Sí! O acaso es un ¡Oh, no! (sin mostrar entu-
siasmo).

• Si tienes hijos, imagínate a tu alma gemela in-
teractuando con ellos. ¿Cuál es tu reacción? ¿Te
sientes asustado? ¿O tal vez dichoso y encanta-
do? ¿Consideras que tus niños desean alguien
nuevo en sus vidas? Si no tienes hijos, entonces
sustitúyelos por los amigos íntimos o por tus
animales domésticos. Presta atención a la reacción de tu animal doméstico. Con frecuencia
ellos son más receptivos que nosotros.

• Finalmente, imagina a tu alma gemela diciendo:
"Me gustaría que nos casáramos". ¿Qué res-
ponderías ante esa propuesta? Quizás la primera reacción será de júbilo. Pero después de ese
arranque de alegría y de gozo inicial, ¿qué más
sientes? ¿Tienes dudas?, ¿miedo?, ¿felicidad?,
¿crees que es correcto?

• Ahora ya se ha ido a casa y tú estás sentado en
la misma silla en la cual estás haciendo este ejercicio. Imagínate que puedes ver la esencia de
tu alma gemela; es de un color verde luminoso.
Sientes que está flotando alrededor de tu casa,
como si estuvieras diciendo, "aquí estoy contigo
en todo momento". ¿Cómo te hace sentir el

hecho de saber que siempre está cerca de ti? ¿Te
sientes cómodo? ¿Atrapado? ¿Agobiado? O tal
vez ¿relajado?

- Tus reacciones frente a todas estas preguntas
indican tu disposición en cuanto a aceptar a
tu alma gemela. Recuerda que no existen respuestas correctas, ni equivocadas. Se trata simplemente de tener en cuenta y honrar a tus
sentimientos. Y si te llegas a dar cuenta de que
todavía no estás listo para establecer esa relación, entonces considérate afortunado, puesto
que ahora tienes la oportunidad para ocuparte
de tus temores y de las preocupaciones que te
mantienen alejado de tu pareja ideal.

4. La plantilla de la atracción

Imaginemos que dentro de nosotros hay patrones de comportamiento que hemos creado a partir de las creencias, temores, necesidades y deseos. Tenemos muchos patrones que, una vez formados, garantizan la manera en la que actuaremos y reaccionaremos ante una situación determinada. Los modelos incluyen nuestro estilo personal —preferencias alimenticias, vida social, relaciones amorosas, puntos de vista, creencias, etc.—. Aún si cambias de identidad, sería más difícil cambiar tus modelos. Tu identidad es tu aspecto profundo, pero tus modelos están arraigados dentro de ti mismo.

Debido a que quieres trabajar con el propósito de atraer a tu alma gemela, vamos a examinar uno de los modelos en particular, el que tiene que ver con las relaciones y con el tipo de persona que estás buscando. Yo lo llamo la plantilla de la atracción. Una vez que se haya construido, estará obligado a responder en forma predeterminada.

La plantilla de la atracción te permite tener relaciones con un tipo de persona en particular, así como también ignorar a aquellos que no compartan tus criterios. Se trata de una fusión de modelos correspondientes a las necesidades de tu infancia relacionados con el amor, la seguridad, la atención, la autovaloración, la vergüenza, la autoestima y la independencia. Si durante tu infancia siempre estuviste buscando amor porque considerabas que nunca habías recibido el suficiente, entonces buscarás una persona que te proporcione amor de una manera ilimitada e incondicional.

En mis charlas, describo la plantilla de la atracción como una tabla con seis agujeros cuadrados. Para la mayoría de las personas, sus plantillas son de carácter personal; con una imagen propia y única. El aspecto importante de la plantilla es la forma de los agujeros.

Tú sólo puedes establecer una exitosa relación con una persona que encaje perfectamente dentro de tus agujeros. Hay varios tipos de compatibilidad: Actitudes sobre el matrimonio, crianza de los niños, familia, comunicación, intimidad, fortalecimiento, manipulación, amor, sexo, dinero (éste es uno de los primordiales). En otras palabras, es todo lo que constituye el rango de relaciones interpersonales que se derivan de los aprendizajes adquiridos desde la niñez. Al existir más de seis aspectos que constituyen una relación, también hay muchos más huecos por llenar (esto simplemente se trata de un ejemplo). Esto significa que sólo las formas cuadradas pueden ajustarse en los agujeros cuadrados, no a las que tengan otra forma.

Ejemplos de plantillas de la atracción
para incluir nuevas posibilidades

¿Qué pasaría si conoces a alguien con formas diferentes a las cuadradas, por ejemplo, círculos, triángulos, rectángulos, medias lunas, cruces, y también unas cuantas clavijas cuadradas? En este caso, ustedes no son compatibles. La relación podría establecerse, pero no existen los suficientes elementos como para hacerla duradera. Si no hay ningún tipo de compatibilidad, no llegarán a enamorarse.

¿Qué sucedería si encuentras el alma gemela que has estado esperando? Aún cuando hayan tenido contacto visual, o intercambiado unas cuantas palabras, la chispa necesaria no estará allí. En este caso las plantillas de la atracción están desconectadas entre sí.

¿Recuerdas el ejercicio número dos, en el cual hiciste la lista de las expectativas que tenías acerca de tu amante ideal? Esas expectativas, necesidades y modelos forman parte de tus chakras.

La palabra "chakra" proviene de la expresión sánscrita "rueda". Los chakras son los centros de energía del cuerpo y cada uno se enfoca en una clase de energía en particular. La habilidad que poseemos para actuar de manera holística está conectada a la forma como se abren o cierran los chakras. Yo clasifico los chakras según el modelo indio clásico:

- Primer chakra: Ubicado en la base de tu columna vertebral; sobrevivencia (dinero, protección, trabajo, salud).
- Segundo chakra: Ubicado a tres pulgadas debajo del ombligo; sexo y emociones.
- Tercer chakra: Ubicado en el plexo solar (debajo del diafragma); poder y control.
- Cuarto chakra: Ubicado en el corazón; amor.
- Quinto chakra: Ubicado en la garganta, las orejas y la boca; comunicación.
- Sexto chakra: Ubicado en el centro de tu cabeza, también se conoce con el nombre de tercer ojo; visión clara de las cosas.

- **Séptimo chakra:** Ubicado en la corona de la cabeza; sabiduría y conocimiento.

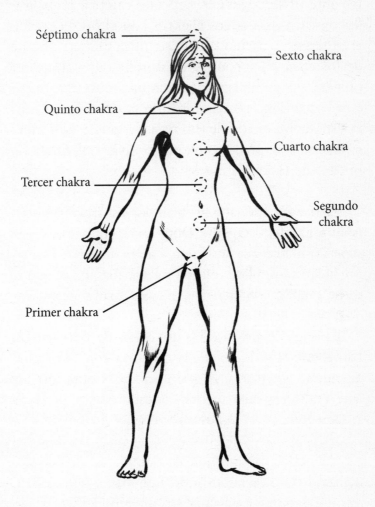

Séptimo chakra

Sexto chakra

Quinto chakra

Cuarto chakra

Tercer chakra

Segundo chakra

Primer chakra

Los siete chakras

No importa qué es lo que estás deseando; no puedes cambiar el programa —a menos que de veras quieras hacerlo—. Para hacerte atractivo e irresistible ante tu alma gemela, necesitas cambiar las plantillas en cada uno de los chakras, con el fin de aceptar esa energía en particular. Eso significa ubicar cada uno de los chakras, encontrar la plantilla de la atracción, limpiarla o reemplazarla. Cualquier cosa que hagas con la plantilla, estarás tomando la decisión de trasladarte de un estado de carencia, de miedo o de aflicción, hacia la predisposición positiva y el fortalecimiento de todos los niveles.

Elías encontró que su plantilla era muy pequeña (sólo tenía dos agujeros). Después de limpiarla, su ser superior le dijo que la abriera, y así se duplicó su tamaño; luego se duplicó una y otra vez más, hasta que se tornó grande, con orificios, muchas formas y tamaños.

La nueva plantilla de la atracción de Bert parecía como una especie de rueda giratoria con centenares de nuevas aperturas. La plantilla de la atracción de Jane era como una fuente plateada que le permitía aceptar toda clase de nuevas energías.

Cuando creas una nueva plantilla, o cuando actualizas la vieja, estás creando algo nuevo dentro de ti mismo, algo que refleja un "tú" diferente en un estado superior. Eso significa que las energías y los modelos obsoletos dentro de tu ser tendrán dificultad para actuar en el antiguo nivel de vibración.

Como resultado tu cuerpo se ve afectado y muestra tu estrés por medio de la enfermedad —gripe, fiebre, escalofrío, malestares de la garganta, entre otros.

Durante la convalecencia tu cuerpo desecha los programas o modelos que ya no tienen validez en tu vida. Ésa es la razón por la cual una vez que te recuperas, te sientes mejor espiritualmente que en el aspecto físico.

Cuando encuentras tu plantilla de la atracción, quizás quieras liberarte de ella... o quizás no. Si decides retener tu vieja plantilla, entonces quieres hacer los cambios a un ritmo más premeditado y ahora no estás preparado para liberarte de tus viejas amistades. Yo respeto esa decisión. Deshacerte de tu vieja plantilla de la atracción y reemplazarla con una nueva es, definitivamente, un acto de conclusión.

Una vez terminado el proceso de liberación, llevarás a cabo el proceso de invitación; en este caso, a la esencia de tu alma gemela. Cuando ya hayas modificado los viejos modelos rígidos, podrás invitar a tu alma gemela hacia ese chakra e impregnar la nueva plantilla con tus energías. Ahora tu plantilla se codificará de nuevo para permitirle a un modelo más importante y atractivo entrar en tu vida.

Al realizar este proceso, trabaja sobre un solo chakra a la vez. Eso le dará a tu cuerpo algún tiempo para ajustarse a las nuevas energías antes de modificar otro chakra. Recuerda, estás eliminando los modelos viejos (algo como limpiar tu armario), y asimilando los nuevos. Por lo tanto, necesitas tiempo para adaptarte a esa nueva vibración.

Quizás notes que las plantillas correspondientes a cada uno de los chakras aparecen de una forma diferente, o resultan ser idénticos de un chakra al otro. En cualquier caso, eso es lo más conveniente para ti.

Duración: 30 minutos.

- Escucha música adecuada para meditar. Relájate.
- Haz el ejercicio de conectarse con la Tierra, el de la purificación de la energía y el de recuperar su energía.
- Invoca a tu ser superior o ángel guardián.
- Evoca la presencia de la esencia de tu alma gemela.
- Imagínatela caminando hacia una escalera mecánica que hay en el centro de tu cabeza; deja que te conduzca hacia tu chakra escogido. Cualquier cosa que veas será simbólica, es decir, no es el órgano físico real.

- Encuentra la plantilla de la atracción correspondiente en la pared del chakra o dondequiera que se localice.
- Pídele a tu ser superior que traiga una tina llena de líquido dorado.
- Llena un balde de ese líquido dorado y viértelo encima de la plantilla de la atracción. El líquido dorado actúa como un lubricante transformador que va arrancando la plantilla de la pared.
- Ayuda a despegar la plantilla de la pared. Utiliza la ayuda de tu ser superior, si es necesario.
- Déjala caer dentro de la tina. Si hay otros pedazos de material incrustados en la pared que estuvieran asegurando la plantilla, tíralos en la tina, porque ellos también forman parte de la antigua manera de pensar y necesitan ser desechados.
- Saca la plantilla de la tina. Observa con cuidado su condición. Si tu plantilla de la atracción parece encontrarse en buen estado después del baño, y no quieres liberarte de ella, entonces —por ahora— puedes conservarla. Simplemente asegúrate de que tiene más agujeros (las opciones).
- Si está delgada, rota, deteriorada, resquebrajada o agujereada, entonces vuélvela a botar dentro de la tina. No está bien. Definitivamente necesitas una nueva plantilla de la atracción.

- Pídele a tu ser superior que te proporcione una nueva plantilla, una que te refleje tal como eres ahora y también a tu energía actual.
- Cuelga otra vez en la pared la plantilla nueva.
- Permite que tu alma gemela coloque su esencia en tu nueva plantilla para así reconocer tus modelos. Podrías imaginártela poniendo tus manos encima de la plantilla impregnándola con tus energías.
- Lleva a cabo esta técnica en cada uno de los chakras, pero no con todos al mismo tiempo. Dedica una sesión separada para cada uno.

5. Cánticos

Cuando piensas en entonar cánticos, ¿qué es lo primero que se te viene a la mente? ¿Monjes tibetanos o cantos gregorianos? ¿Gurús de la India? ¿Indios americanos? Todos ellos entonan cánticos. Los cánticos tienen un sentido religioso —se entonen cánticos en lugares sagrados, en templos, en mausoleos o en iglesias—. No importa qué clase de cánticos se lleven a cabo, el propósito es el mismo: Crear algún tipo de cambio en el cuerpo y en la mente.

Los cánticos son una combinación de palabras y tonalidades. Más específicamente, una serie de palabras (mantras), las cuales se cantan una y otra vez con el objetivo de evocar en su propio ser una especie de vibración alentadora que te pondrá en armonía con las energías transcendentales que son atraídas por tu canto.

Los cánticos ejecutan tres funciones principales. La primera es la de tranquilizar tu mente a través de frases complejas y repetitivas. No se entona una sola palabra —mantra— sino dos o tres frases por lo menos. A diferencia con la repetición de una afirmación hablada, el cántico se entona o se expresa en forma de canción. La frecuencia y repetición de los cantos hacen más fuerte la experiencia dentro de tu cuerpo.

Segundo, concentrar tu mente hacia un ser, en un evento, proceso, meta o ideal. Esto es de gran importancia porque por mucho tiempo hemos estado desorientados, frustrados o fragmentados. Ésa es la razón por la cual los cánticos pueden llegar a ser muy poderosos.

Tercero, un cántico te ubica dentro de un espacio mental diferente; te aparta de creencias y los modelos preconcebidos y estimula tus voces internas —como un juez interior—, presentándote otras alternativas que tu mente normalmente no podría aceptar.

Debido a que los cánticos son una especie de auto-hipnosis, cualquier cosa sobre la cual estés realizando cánticos genera un campo magnético de atracción y de posibilidades alrededor de ti mismo.

Yo entono cánticos cuando estoy desarrollando alguna labor sin importancia o repetitiva. Uno de mis momentos más propicios es cuando estoy caminando. Esto me sitúa dentro de un marco de apertura, de receptividad y de alineación espiritual. Igualmente, me ayuda a organizar mis pensamientos que tienden a dispersarse.

A continuación sugiero dos cánticos que podrías utilizar. Si tienes tus propias palabras o sentimientos que deseas expresar, puedes utilizarlos también. Esto no es perfecta poesía, y ése no es el propósito. Las palabras expresan lo que quieres manifestar.

Ejemplos de los cánticos

1: Mis brazos están abiertos; mi alma gemela está cercana. Ven a mis brazos y quédate aquí conmigo.

2: Estoy listo para recibir a mi alma gemela; permite a mi amante que venga hacia mí.

Estoy listo para recibir a mi alma gemela; permite a mi amante que me abrace.

Estoy listo para recibir a mi alma gemela; la invito para que ingrese a mi vida.

Estoy listo para recibir a mi alma gemela; permite a mi amante que venga hacia mí.

No pronuncies las palabras sólo por hacerlo. Adapta el cántico con algún ritmo musical o con algún estribillo agradable cuando digas esas palabras. Al hacerlo, las palabras crearán su propia melodía.

No digas palabras sin sentido, por lo menos al comienzo. Pronuncia las palabras primero en tu mente. Esta técnica te ayudará a concentrarte. A medida que te familiarices con el cántico, hazlo en voz alta y de una forma más rápida. Esto incrementará tu energía y nivel de concentración.

Lleva a cabo más de un cántico, utiliza más de una afirmación, y altérnalos permanentemente. Elabora un repertorio de varios cánticos.

Una mujer llamada Jean entonó el segundo cántico ("Estoy lista para recibir a mi alma gemela. . .") durante cinco minutos varias veces al día. Ella escogió este canto porque sabía que no se encontraba lista. Pero a medida que continuaba entonando diariamente su cántico, experimentaba una extraña sensación de paz con ella misma, y su ansiedad y temores empezaron a disminuir. Con el tiempo llegó el momento en el que se sintió lista para recibir a su alma gemela.

Si desarrollas cánticos que quieras compartir con otras personas, escríbeme a mi dirección de correo electrónico: arians@rocketmail.com, de manera que yo pueda incluirlos y anunciarlos en mi página electrónica de Internet.

6. Decretos y afirmaciones

Las afirmaciones son declaraciones que al decirlas tienen la función de activar los sentimientos positivos en ti para crear los resultados deseados. Sin embargo, antes de lograrlo, ellas también activan su programación negativa, dejándote en una encrucijada.

Aún cuando la afirmación parezca otorgarte lo opuesto a lo esperado, de hecho está haciendo exactamente lo correcto, es decir, provocando un cambio interno. Ahora tendrás la oportunidad de identificar las creencias y temores que te han impedido avanzar. Una vez que superes esta etapa, las afirmaciones empezarán a dar resultado.

Normalmente, repetimos una misma afirmación a la vez. Esto mantiene la concentración sobre un deseo en particular o sobre el bloqueo que se quiere resolver. Así se incrementa la negatividad (al principio), pero luego se estimula para estar a tono con las intenciones de la afirmación.

Los decretos son afirmaciones con determinación: ¡Quiero ser! ¡Quiero tener! ¡Quiero hacer! ¡Nada me detendrá! Ésa es la razón por la cual un decreto es más enérgico e intenso que una afirmación. Es una muestra de tu intención y voluntad. Aquí estás declarando enérgicamente que esto o aquello ocurrirá.

Este ejercicio no es un cántico, pero la idea es similar. Al declarar tus intenciones con fortaleza, generas una especie de ondas de ultrasonido psíquico dentro de ti mismo; lo cual resulta eficaz a la hora de romper los bloqueos preestablecidos.

La repetición continua de los decretos genera el rechazo de lo no aceptado. Al principio, puedes tener una reacción contraria a lo decretado. Pero la persistencia logrará que tus modelos viejos desaparezcan, abriendo espacio para implantar las nuevas formas de pensar.

¿Qué te gustaría decretar? Éstas son algunas sugerencias; pero como ya se explicó, puedes adaptarlas a tus propias necesidades y a tu situación particular.

Como siempre, es importante invocar a la esencia de tu alma gemela antes de empezar. Después de eso, a medida que vayas declarando, siente la forma en que tu alma gemela recibe el beneficio de tus afirmaciones. En consecuencia, imagínate que ellas también te están enviando sus propias afirmaciones de amor para reforzar tu trabajo personal.

Ejemplos de decretos

1: Decreto que mi alma gemela está viniendo hacia mí, que me libero de todo lo que se interpone en su camino y que estoy preparado para establecer una relación con ella. Decreto que sea una experiencia maravillosa para cada uno de nosotros.

2: Decreto que mi alma gemela se haga presente aquí; que nosotros estemos juntos, felices, amándonos y fuertemente comprometidos.

3: Decreto que tanto mi alma gemela como yo nos encontremos el uno con el otro, que hayamos abandonado todo tipo de bloqueos y temores y que nuestra relación sea muy duradera, llena de amor y de cariño.

4: Decreto que se vayan todos mis temores y todos los obstáculos, dejándome en libertad para establecer una relación amorosa con mi alma gemela.

5: Evoco a mi ser superior (o a mis ángeles guardianes o a cualquier clase de ser con el cual me gustaría sustituirlos) para hacer todo lo que sea necesario con el objetivo de prepararme para recibir a mi alma gemela.

Construye tus propios decretos para que se ajusten con tu situación particular. Siempre que los pronuncies, hazlo entregándote por completo al proceso. Pregónalos ante todo el mundo. Permite que las paredes resuenen con la alegría y con el amor que sientes mientras los dices. Entre más decretes y sientas las palabras, tu ser entero se volverá más comprometido con tu propósito. Tu energía se aumentará. Siente verdaderamente esas palabras. Acostumbro hacer veinticinco repeticiones de la misma afirmación de una sola vez. Ésa es la forma en la que consigo que mi energía se desplace.

La inversión

Para algunas personas las afirmaciones y los decretos no generan beneficios. Su composición interna se encuentra invertida. Esto significa que los patrones adquiridos a temprana edad han preparado un campo negativo para que todo lo positivo que esa persona diga se convierta en una situación negativa. Por ejemplo, la expresión "eres encantador" se invierte de manera que queda "eres feo", la frase "mi alma gemela está aquí" se vuelve "mi alma gemela nunca vendrá". Estas características se encuentran arraigadas y se requieren más que afirmaciones y decretos para conseguir resultados.

Para contrarrestar esta inversión, frota el borde de la palma de tu mano, aproximadamente una pulgada más abajo de la última articulación del dedo meñique. Eso te ayudará a eliminar el campo negativo, de tal forma que puedas recibir el beneficio de su decreto.

7. Hacer de tu alma gemela una realidad

En el ejercicio uno hablamos de cómo evocar tu alma gemela para lograr una conexión. Ahora descubrirás otra forma poderosa de lograr dicha conexión: Usando la imaginación para soñar su existencia. Para esto, es necesario ubicarse en un estado de receptibilidad hacia tu amante, hacia tu alma gemela. La conexión deberá ser en todo nivel —emocional, espiritual, mental, etérico y físico.

La primera vez que realices este ejercicio quizás no logres lo deseado. Tu visión puede ser vaga y oscura. No te desanimes. A medida que adquieres práctica, tus sentidos se tornarán más sensibles y perceptivos.

Si no recibes una imagen visual o experimentas un sentimiento, deja que tu imaginación tome las riendas. No te esfuerces. No importa si las imágenes son claras o no. Lo importante es que en este instante estás creando la energía adecuada para atraer a tu alma gemela. En pocas semanas encontrarás que las imágenes se tornan más claras y tu afinidad se agudiza aún más.

Ahora te encuentras más a tono con la otra entidad. Quizás empieces a notar una serie de ideas en tu mente que te hablan de él. Esto es el resultado de una conexión que se está estableciendo. No sólo los escuchas; ellos también te escucharán. Todo esto se hará realidad en el momento en que se conozcan. Su grado de familiaridad será tal, que no habrá otra opción que conectar.

Este ejercicio puede llevarse a cabo parado con tus ojos cerrados, o también enfrente de un espejo de cuerpo entero. Si utilizas el espejo, imagínate que al mirarse, tu alma gemela se encuentra en el espejo.

Se requiere de una gran concentración cuando se utiliza el espejo, pero aún así, hace la experiencia más excitante. Esto sucede debido a que es posible "ver" los pasos a medida en que se desarrolla el ejercicio. Eventualmente, por supuesto, tu alma gemela abandonará el espejo para convertirse en realidad.

Realiza este ejercicio de pie. Ésa es la forma como yo lo hago y me remunera con una experiencia muy satisfactoria.

Elementos necesarios: Incienso de salvia; incienso de pachulí o jazmín; aceite de amor.

Duración: De 15 a 30 minutos.

• Escucha música suave.

- Haz el ejercicio de conectarse con la Tierra, el de la purificación y el de recuperar tu energía.
- Quema el incienso de salvia para desterrar las viejas energías de tu cuerpo. Ahora necesitarás nueva energía positiva.
- Párate descalzo mientras que realizas el ejercicio.
- Enciende el incienso de pachulí o de jazmín.
- Riega un par de gotas del aceite de amor sobre el incienso para que se esparza por la habitación.
- Evoca la esencia de tu alma gemela.
- Cierra tus ojos. Es más fácil visualizar de esa forma. Imagina a tu alma gemela caminando hacia ti, hasta que se pare frente a ti —no a un lado o detrás—. Es como si se estuvieran conociendo. Si estás al frente de un espejo, imagina a tu alma acercándose a ti.
- Rocía tu cuerpo con el aceite de amor. Colócalo en cada uno de los chakras. Comienza por el séptimo chakra (la corona). A medida que lo llevas a cabo, imagínate líneas de energía que se forman entre tú y tu alma gemela a partir de cada uno de los chakras. Di lo siguiente:

"Me estoy conectando con mi alma gemela desde mi séptimo chakra, espíritu a espíritu".

"Me estoy conectando con mi alma gemela desde mi sexto chakra, mente a mente".

"Me estoy conectando con mi alma gemela desde mi quinto chakra, telepáticamente".

"Me estoy conectando con mi alma gemela desde mi cuarto chakra, corazón a corazón".

"Me estoy conectando con mi alma gemela desde mi tercer chakra, con mi poder".

"Me estoy conectando con mi alma gemela desde mi segundo chakra, sexualmente".

"Me estoy conectando con mi alma gemela desde mi primer chakra, con mi cuerpo y todas mis necesidades básicas".

- Unta tus pies de aceite. Di: "Estoy en la Tierra, listo para mi amor".
- Unta de aceite tus manos. Di: "Estoy conectado con mi alma gemela a través de mis manos".
- Frota tus manos alrededor de tu aura. Di: "Mi aura está llena de su energía".
- Enfócate en tu alma gemela. Siente cómo es; qué forma tiene; cuál es el color de su cabello; cómo se siente cuando la tocas. Mueve las manos sobre su cuerpo. Nota cómo se siente al tocarlo. Imagina sus manos, trata de alcanzarlas. Cómo se sienten al tacto.

- Deja que la energía pase por tu cuerpo. Nota dónde te sientes más abierto y dónde sientes que la energía está bloqueada. Esto te indicará si estás listo o no para recibir a tu alma gemela. Continúa respirando.
- Cuando hayas terminado, cruza los brazos sobre tus hombros para acabar el intercambio de energía. Agradece a tu alma gemela por conectarse contigo. Imagínate desconectando los cordones de energía. Es importante hacerlo para evitar exceso de energía en tu diario vivir.

8. Avanzar hacia tu alma gemela

Ya has evocado la esencia de tu alma gemela para que te toque y rodee. Ahora avanzarás hacia tu alma gemela para compartir las esencias. La mejor analogía sería la de una bañera. Te vas hundiendo poco a poco en el agua de la bañera, parte por parte, hasta que te acostumbras a la temperatura. Luego, a medida que el calor del agua penetra en tus músculos, ellos se van relajando y liberando las toxinas, permitiéndote absorber el calor moderado y relajante.

Si decides utilizar una bañera para conectar con tu alma gemela, prepara el agua y pide que la esencia de tu alma gemela se introduzca en ella.

Por varias razones, prefiero no utilizar una bañera para llevar a cabo este ejercicio. Una de esas razones es porque a ciertas personas no les gustan las bañeras o no poseen una. Otra es porque exige más esfuerzo. Una silla o un sofá son más simples y fáciles de adquirir.

Este ejercicio es muy sencillo y a la vez poderoso. Yo lo inventé hace varios años y lo había olvidado hasta que un amigo me recordó el éxito que él había tenido cuando lo puso en práctica para manifestar a su amante. Puedes repetirlo con frecuencia, desarrollando así una conexión más intensa con tu alma gemela.

Una vez más, no es necesario estar conscientes de algo para afirmar que ese acontecimiento está sucediendo.

Como de costumbre, lleva a cabo el proceso en un ambiente tranquilo o sin distracciones. En efecto, puedes hacerlo en cualquier parte, siempre y cuando conserves un ambiente relajado puesto que todo el ejercicio se desarrolla de manera interior y no dura mucho tiempo.

Duración: No más de quince o veinte minutos.

- Haz el ejercicio de conectarse con la Tierra, el de la purificación de la energía y el de recuperar tu energía.
- Escucha música que te haga recordar. En este caso, no debe tratarse de música suave, sino de algo que realmente te guste.
- Siéntate en una silla enfrente de otra que esté vacía. Respira profundamente unas cuantas veces como ejercicio de preparación.
- Evoca la esencia de tu alma gemela y pídele que se siente en la silla vacía. De esa forma impregnarás el lugar con toda tu esencia.

- Cuando estés preparado, ponte de pie y camina hacia ella. Siéntate sobre tu alma gemela despacio y mentalmente. Permítele que te rodee y que penetre en tu cuerpo. Báñate dentro de ella. Inúndate con la esencia de tu alma gemela. Siéntala en tu piel, en tu corazón, en todo tu ambiente. Imagínate que estás susurrándole al oído a medida que la abrazas.
- Imagina una esfera de luz rosada rodeándote a ti y a tu alma gemela. Esta luz le permite a tus esencias reunirse en una forma más intensa.
- Si surgen dudas o temores, manifiésteles tus agradecimientos; luego imagínate que son burbujas que van flotando hacia el exterior de tu cuerpo y se van estallando solas en el olvido. Continúa haciendo esta visualización cada vez que esas voces se repitan. A medida que cada burbuja se desvanece va dejando un agujero en tu campo de energía, donde esos miedos y dudas estaban impidiendo tu flujo normal. Ahora, el resplandor de la esfera también llena de luz esos agujeros.
- Continúa respirando, libérate de las dudas y sumérgete en la esencia de tu alma gemela. Haz la experiencia más intensa y agradable.
- Cuando consideres que ya has terminado, ponte de pie como si te estuvieras levantando de tu bañera, con el agua escurriéndote por todo su cuerpo. Imagina que la esencia de tu alma ge-

mela se queda atrás sobre la silla. Permite que la
luz rosada se disipe.

- Regresa a tu silla. Agradécele a tu alma gemela
  por haber venido. Permite que la esencia de tu
  alma gemela regrese a su casa.

9. La almenara

La almenara es un mecanismo inconsciente dentro de tu corazón establecido con el fin de encontrarte un tipo de relación especial. Una manera de visualizarla es como si se tratara de un satélite que gira cada vez que te encuentras con alguien.

Cada vez que la almenara se activa emite señales en busca de respuestas. Cuando tus señales golpean en el aura o en el campo de energía de un posible compañero, activa a su vez la almenara de la otra persona, la cual empieza a enviar la información en respuesta al requerimiento.

Otra forma de describir el ejercicio es la manera como se comunican dos o más computadoras por medio de un lenguaje en particular.

Tan pronto como tu almenara reciba la señal de regreso, utiliza esa información para determinar si esa persona tiene algo en común contigo y, si es así, qué tanto. Entre mayor sea la cantidad de tus cualidades particulares que sean afines con su programa, habrá más posibilidades de que esa persona sea compatible o no.

Si tu almenara produce una transmisión del tipo "yo estoy buscando XYZ" y la otra almenara te contesta "yo tengo ABZ", tu almenara rechazará al instante a esa persona ("demasiado diferente") y continúa su búsqueda.

¿Qué pasa cuando alguien le responde: "Yo tengo XYZ?". ¡Se ha logrado el empalme! ¡Has encontrado a alguien que encaja perfectamente con tus criterios! ¡Deseas conocerla pronto! Es en este momento cuando empiezas a gravitar hacia esa persona para hacer la conexión, sabiendo inconscientemente, que ella ya se siente atraída hacia ti.

Este proceso tarda sólo una fracción de segundo (mucho más breve que lo que pueda durar esta explicación). Sucede tan rápido que es como un vistazo a las personas en una habitación. En ese momento se rechaza o aprueba a los posibles compañeros. Tan sólo tú conoces los resultados de tu búsqueda, y es completamente inconsciente.

Por esa razón Jody escogía, infaliblemente, al abusador y Dave se involucró una y otra vez con el mismo tipo necesitado y desesperado (la cara y el cuerpo eran diferentes, pero el problema era el mismo).

¿Cómo sucede esto? Al activar tu almenara, ésta confía en los modelos establecidos desde la niñez para tomar decisiones acerca de tus posibles parejas. ¿Será este mi amante correcto o no?". Sin embargo, él no lograba comprender la razón por la cual te sentías atraído hacia ellas. Esos viejos modelos todavía hacen parte de tu almenara y por lo tanto, siguen atrayendo a ese mismo tipo de personas. Ahora no los quieres en tu vida. Ése es el problema.

Tu almenara sólo puede encontrar al tipo de persona para la cual está programada, sin tener en cuenta lo que tú quieres. Es como un robot que hace su tarea hasta que es programado con nuevas órdenes. Hasta ahora, no has encontrado la habilidad o el hechizo apropiado para hacer eso.

Puedes reprogramar la almenara o, si lo prefieres, puedes permitirle a tu ser superior que lo haga. La manera más fácil para que reconfigures tu almenara es reemplazarla por completo con un nuevo mecanismo; algo que esté programado para tu alma gemela. Si no quieres cambiarla por completo, entonces límpiala, actualízala y pide que tu alma gemela llegue y estampe su energía.

Ahora pregúntate si tienes la habilidad y la buena voluntad para permitir que nuevos compañeros entren en tu vida. Sé honrado contigo mismo. ¡Si la respuesta no es un inequívoco "sí", entonces ¡haz algún trabajo de liberación lo más rápido posible! De lo contrario puedes saturar y alejar a tu alma gemela, cosa que no quieres que suceda.

Elementos necesarios: Incienso de césped dulce o incienso de Nag Champa.

Duración: 30 minutos.

- Haz el ejercicio de conectarse con la Tierra, el de purificar la energía y el de recuperarla.
- Escucha música suave. Quema un poco de incienso de césped dulce o de Nag Champa para purificarte a ti mismo. Tu energía debe estar lo más clara posible.
- Evoca a tu ser superior. Él te ayudará y guiará en el proceso de remover y de reprogramar tu almenara.
- Baja mentalmente desde tu mente hasta tu corazón (éste no es su corazón físico, sino uno simbólico). Allí encontrarás tu almenara. Mírala y establece su forma (si no puedes verla, percibirla o sentirla, simplemente imagínate que está allí). Es la encargada de atraer a tus amantes a tu vida. Si puedes, deshazte de ella. Permite que tu ser superior te traiga una nueva.
- Si prefieres mantenerla, pídele a tu ser superior que te proporcione una tina llena de líquido dorado. Pon la almenara en la tina y purifícala.

- Sácala de la tina. Nota su nueva condición. Si se adapta de acuerdo a tus nuevas circunstancias, es funcional. Por otra parte, si parece como si estuviera golpeada o que no funciona o que produce unos ruidos molestos, no lo dudes más y bótala. Pídele a tu ser superior que te proporcione una nueva con un nivel de vibración más alto.

- Evoca a tu alma gemela. Con la ayuda de tu ser superior, permítele a tu alma gemela que la impregne con su esencia, de manera que pueda transmitir una señal de búsqueda hacia esa vibración. A continuación aparecen algunas sugerencias para llevarlo a cabo:

Coloca el programa de tu alma gemela dentro de la almenara.

Mantén la esencia del alma gemela estampada a la almenara.

Reemplaza el viejo módulo de atracción con el módulo del alma gemela.

Incrusta las imágenes alegres tuyas y de tu alma gemela estando juntas en el mecanismo de transmisión de la almenara.

- Coloca la almenara, ya sea la nueva o la restaurada en la pared. Enciéndela. Ahora está enviando señales, buscando a tu alma gemela. ¡Es el momento de prepararse para recibir a tu alma gemela!

10. Hilando

Has tenido una relación con tu familia (hermanos y padres), también has establecido relaciones con tus compañeros y amigos. Todas estas relaciones tienen algún grado de intimidad y de impacto sobre tu vida.

A menos que hayas hecho alguna clase de trabajo con el fin de liberarte de ellas, cada una de estas relaciones permanecen contigo en forma de cordones que se atan a tu corazón. Dependiendo de la complejidad de la relación, es posible que ese cordón termine envolviéndose alrededor de tu cuerpo, hasta llegar a cegarlo.

Alguna parte de tu energía ha estado comprometida con ese aspecto de tu vida, de tal modo que no va a poder estar disponible para ti. Esto significa que no tienes toda la fuerza vital disponible. Es como si te hubieras fraccionado.

¿Cómo haces para darte cuenta de eso? Piensa en un antiguo amante o en un miembro de la familia, en alguien que te produce una reacción emocional fuerte. ¿Qué clase de sentimiento experimenta tu cuerpo? El sentimiento será más fuerte entre más energía hayas involucrado en los asuntos relacionados con esa persona.

Es como si se tratara de un pequeño montículo y de una montaña. Entre más piensas acerca de un problema, mayor será la energía que le dediques, hasta el punto de que un problema menor se va inflando hasta convertirse en una montaña de energía congelada. Esta montaña solamente desaparece cuando el problema ya se haya resuelto. De repente sientes el efecto de la energía que se va liberando de la montaña; ahora ya puede retornar a su fuente central de energía (recuerda lo que ocurría con el armario cuando se limpiaba, para el caso la idea es la misma).

Si no puedes sobreponerte al efecto que te produce una persona, o tal vez notas que esa persona permanece en tus pensamientos o tienes una particular reacción frente a ella (ya sea buena o mala), es porque todavía forma parte de tu campo de energía y continúa absorbiendo parte de tu fuerza vital. Sus cordones se han enrollado a tu alrededor, restringiendo tus pensamientos, sentimientos y deseos. Al desenrollar estos cordones, tanto tú como la otra persona involucrada en esta relación pueden desconectar sus emociones y energía.

Hilar es una acción en doble sentido: Primero, en el sentido contrario a las manecillas del reloj para desatar algo y, segundo, en el sentido de las manecillas del reloj para enrollarlos de nuevo; es decir que se pueden desenrollar relaciones viejas y enrollar la relación nueva con tu alma gemela.

La ayuda vendrá del reino de los ángeles. La razón por la cual recomiendo el uso de los ángeles es debido a que ellos pueden hacer el trabajo de quitar los cordones en los cuales te encuentras envuelto, sin que tu ego o temores se interpongan. A medida que progresas, quizás no deseas liberarte de algunos de los cordones, ya sea por tus propios temores o por las necesidades de un antiguo compañero. Déjale todo el trabajo de la liberación a los ángeles; ellos lo harán de manera impecable y sutil.

Para empezar, pídele a los ángeles que recojan los cordones correspondientes a cada una de las personas que están envueltas a tu alrededor. Es posible que no tengas una idea clara de quiénes son estas personas. Probablemente, algunos necesitarán cientos de ángeles para poder desenrollar todos los cordones que los tienen envueltos. Otros, tal vez, necesitarán de unos pocos.

No es necesario saber cuántos cordones se encuentran atados a tu cuerpo. Simplemente limítate a pedir ayuda a todos los ángeles que puedas necesitar. Ellos desenrollarán los cordones a medida que vas girando.

Es posible que sólo desees deshacerte de unos cuantos cordones a la vez, debido a que podrías sentirte desnudo sin tu envoltura. De cualquier forma tu intención es importante. No te apresures. Tómate tu tiempo para ejecutar este trabajo y establece tu propio ritmo.

Una vez que te hayas liberado por completo de tu envoltura, te encontrarás con una cantidad más grande de energía vital y fortalecedora. Entre más acumules energía, más completo te sentirás en el momento de conocer a tu alma gemela.

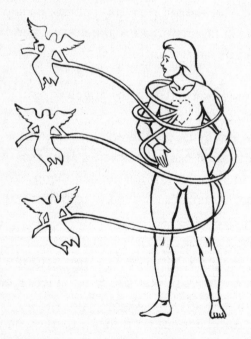

Los ángeles te ayudan a desatar tus viejas ataduras

Duración: 30 minutos.

- Haz el ejercicio de conectarse con la Tierra,
  el de purificar la energía y el de recuperar tu
  energía.
- Párate en el centro de la habitación. Ten suficiente espacio a tu alrededor para desplazarte y
  girar. Hilar (girar) puede producirte desequili-
  brio y tambaleos.
- Imagina que cada relación que has tenido equivale a una herida representada en la cinta que
  está alrededor de tu cuerpo. Evoca a un ángel
  para que encuentre el extremo de cada una de
  ellas. Al hacerlo, quizás puedas reconocer a la
  persona conectada a ese cordón. O tal vez puedas decir: "Yo le estoy dando al ángel el cordón
  de mi padre, de mi madre o de mi amante"
  (nómbralos). Te recomiendo que limites el número de cordones que los ángeles toman, por
  lo menos durante la primera vez, de uno a un
  máximo de tres, hasta que te acostumbres a la
  experiencia.
- Gira despacio en sentido contrario a las manecillas del reloj. No gires en forma rápida porque
  perderás el equilibrio. Sólo podrás girar unas
  cuantas veces. Descansa durante un rato y luego
  continúa. Sigue girando hasta que sientas que
  ya has desenvuelto el cordón. Es posible que
  sientas como si no estuviera desenvolviéndose o,

incluso, como si estuviera completamente desenvuelto. Tu cuerpo lo reconocerá a nivel ins-
tintivo. Detente cuando lo consideres prudente.

- Cuando ya hayas desenvuelto el cordón, tómalo
con tu mano y jala su extremo hasta sentir que
lo sacas de su corazón. Después de eso, permite que el ángel se lleve la cinta. Es posible que
sientas alguna clase de reacción (distinta a la
del vértigo), como alivio, enojo, tristeza o, tal
vez, sorpresa. También es posible que empiecen
a surgir los recuerdos de las personas y de los
acontecimientos de un pasado lejano. Eso es debido a la energía que regresa hacia ti.

- Si crees que puedes hacerlo, repite el procedimiento con algunas personas más. Recuerda
que puedes hilar para liberarte de varias relaciones al mismo tiempo.

- Ahora permite que un rayo de Sol descienda a
través de la parte más alta de tu cabeza. Permite que su luz dorada llene por completo todos
estos espacios que quedaron en tu corazón, en
los cuales estaban atados esos cordones y luego,
irrádialo a través de tu aura. Hacer esto ayuda a
ajustar y a alinear de nuevo toda la energía que
se ha liberado en tu cuerpo.

- Respira de manera profunda unas cuantas veces
y agáchate. Descuelga tu cabeza durante algunos
momentos con el objetivo de liberar la energía
que pudiera estar sobrando. Después de hacer

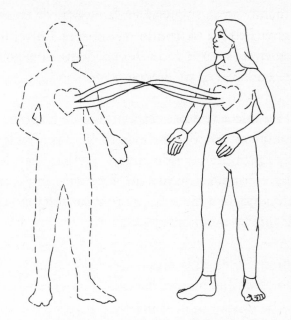

Invocando a la esencia de tu alma gemela

esto, enderézate. Ésta es una forma natural de descansar entre un segmento y otro y, además, te permite cambiar tu ritmo de vibración con la cual vas a evocar.

- Evoca a la esencia de tu alma gemela de manera que permanezca atenta y parada frente a ti. Envía una cinta de amor desde tu corazón hasta el corazón de ella y pídele que también te envíe una hacia ti, a manera de respuesta.
- Después, gira lentamente en el sentido de las manecillas del reloj, enrollando esas cintas a tu alrededor, mientras que vas permitiendo que

tu cuerpo se envuelva en la esencia de tu alma gemela. Hila tanto como lo desees. Entre más gires, más parte de la esencia de tu alma gemela se envolverá a tu alrededor.

Es posible que desees repetir este ejercicio en forma completa más de una vez. Al liberar a estas personas, es probable que descubras que hay más debajo de ellas, escondidas de tu vista, las cuales empezarán a darse a conocer a medida que te vayas soltando de las demás que las están cubriendo.

11. Los ángeles y el cordón cósmico

Ningún ejercicio estaría completo sin incluir uno que involucre a tu ayuda angelical. Ellos, más que cualquier otro ser, se complacen en apoyarte a manifestar tu alma gemela. Su presencia te recuerda el amor que tienen por ti y su disponibilidad para ayudarte.

Los ángeles son seres transcendentes y tienen una perspectiva diferente en cuanto a tu vida. Ellos quieren lo mejor para ti aún en las experiencias dolorosas que son necesarias para tu crecimiento espiritual o mientras te esfuerzas por liberarte de algunas deudas kármicas o traumas. No obstante, su amor angelical siempre está allí, reconfortándote y dándote el ánimo y la fortaleza necesaria para seguir adelante.

¿De qué manera puedes utilizar a los ángeles para tu beneficio? De la forma más directa: Los puede evocar para que te ayuden en una situación específica, o puedes pedirles ayuda en términos generales. En este caso puedes solicitarles que traigan a tu alma gemela. Pero tú también debes hacer tu parte. Debes comprometerte por completo en lo solicitado, sea lo que sea sin importar los obstáculos. En este ejercicio, vas a pedir la ayuda de los ángeles con tu cordón cósmico.

Un cordón cósmico es una cinta especial de energía que conecta los corazones de dos personas, y fluye desde los ángeles hacia los corazones de ambos. Se trata de una bendición trascendental que te es otorgada por intermedio de los ángeles. Los cordones de energía se encuentran atados a nosotros en los lugares específicos de los chakras, y provienen de las demás personas. Puede ser de nuestros padres, hijos, amantes, amigos, colegas, jefes, de las figuras religiosas y así sucesivamente. Estos cordones de energía interfieren en tu camino e inhiben tu crecimiento al extraer energía de tu cuerpo. A su vez, tú haces lo mismo con otras personas.

Antes de activar tu cordón cósmico, necesitas deshacerte de estos cordones de energía como sea posible (ve el ejercicio 10), desconectándote de otros, pero dejando intactos los de tu propia energía. Una vez que te hayas liberado, puedes aceptar los cordones cósmicos, los cuales te proporcionan una corriente continua de alegría y de amor.

Cuando pides el cordón cósmico a los ángeles, ellos también los llenan de bendiciones y beneficios. Si lo deseas, podrías imaginarte a los ángeles que están de pie sobre la cima de un ángulo, mientras que lanzan el cordón cósmico hacia ustedes dos y, una vez que se encuentren atados a él, van generando una especie de anillo de luz a su alrededor, el cual se va recogiendo hasta que los dos están el uno al lado del otro.

Duración: Hasta 30 minutos.

- Haz el ejercicio de conectarse con la Tierra, el de la purificación de la energía y el de recuperar tu energía. Escucha música confortable y cierre tus ojos.
- Remueve los cordones de tus chakras (ve el ejercicio 10). Al soltarte regresan a sus dueños. Haz esto con cada uno de los chakras (hacia atrás y hacia adelante). No puedes instalar un cordón cósmico con toda esa interferencia adicional.

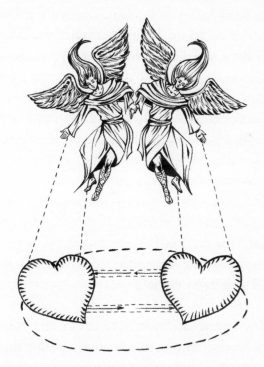

Los ángeles y los cordones cósmicos que te conectan con tu alma gemela

- Invoca a los ángeles del amor. Imagínate a ti mismo como si fueras una vasija lista para ser llenada del amor angelical.

- Permite que los ángeles envíen los cordones cósmicos hacia ti y hacia tu alma gemela. Esto es puro amor angelical que te es enviado. Este amor genera un canal a través del cual tu amor está entrando a raudales dentro de tu corazón.

- Ahora es tu turno. Concéntrate sobre el rayo de amor que sale de tu corazón hacia el corazón de tu alma gemela y, por supuesto, imagínate que ellos están haciendo lo mismo. Ahora te encuentras involucrado en tres acciones: Estás enviando amor radiante a tu alma gemela; tu alma gemela está enviando amor hacia ti y, por último, tus ángeles envían amor radiante a los dos.

- Permite que los ángeles coloquen un anillo de luz alrededor de ambos. Gradualmente, ese anillo se va encogiendo hasta encerrarlos y así quedar conectados en el plano espiritual.

- Permanece dentro del círculo angelical durante unos cuantos minutos, sintiendo la corriente de amor fluir dentro de todo tu ser.

- Luego, cuando estés listo, abre tus ojos y regresa a la habitación inicial.

Puedes repetir este ejercicio cuando lo desees. Esta técnica se constituye en una forma segura para adaptarse a la energía de tu alma gemela.

12. Quemar la vela

Al realizar los ejercicios uno y tres, es posible que cuando conozcas a tu alma gemela te produzca confusión.

Si no estás listo para recibirla, tu alma gemela no vendrá a ti, no hasta que hayas hecho el trabajo de liberación necesario y creado la receptividad requerida dentro de ti. Una manera de hacer eso es a través del ritual con velas, de la meditación y la oración.

La vela actúa como un punto de concentración para tus energías, tu voluntad, tu deseo y esperanza. En este ejercicio utilizarás en primer lugar una vela de color y después otra. A medida que se va quemando la primera vela, se produce el efecto de liberación de viejos patrones de energías, de programas y vibraciones. Después, la segunda vela se concentra en el proceso de atraer a tu alma gemela.

Es muy importante quemar la vela del color que se ajuste a un propósito en particular, debido a que los diferentes colores denotan deseos o energías distintas; de igual manera, cada color tiene sus propias vibraciones.

Las velas del amor son rosadas (para el amor y la afinidad).

Las velas de la atracción son rojas.

Las velas de la liberación son negras o blancas.

Las velas de la atracción y del amor tienen diferentes cualidades. La atracción es algo que se siente hacia alguien, cualquier persona, y tiene atado el elemento de la sexualidad. Se puede sentir la atracción sin que exista el compromiso emocional.

Por otra parte, el amor es un sentimiento que nace en el fondo de tu corazón y que lo compartes con una persona en particular, preferentemente con tu alma gemela. Si quieres atraer a alguien, quema una vela roja, pero si quieres atraer a tu alma gemela, la vela a utilizar será de color rosado.

Muchas velas se fabrican con propósitos específicos (para la prosperidad, santificar los lugares, la meditación, para el amor, la atracción y así sucesivamente). Estas velas se han preparado con las hierbas específicas y con los minerales que refuerzan su propósito particular. La idea es que a medida que la vela se queme, impregne toda el área circundante con la energía de la prosperidad, por ejemplo, de tal manera que magnetice la calidad o la energía que ella te proporciona.

Para tu trabajo, sugiero que no utilices una de estas velas, sino hasta que llegues al final del ejercicio. Cuando los programas viejos y los modelos antiguos se hayan quemado y te sientas libre de ellos, sólo entonces te habrás armonizado con la energía de tu alma gemela. Al llegar a este punto, tendrás un mejor impacto puesto que estarás más abierto y más receptivo para tus energías.

Elementos necesarios: Una vela negra o blanca de la liberación y una vela del amor rosada de por lo menos 15 cm de alto y entre 2 y 5 cm de ancho. Las delgadas y pequeñas no son recomendables. Como opción, puedes conseguir una vela fabricada en forma profesional, especialmente diseñada para la atracción o el amor. También se necesita el aceite del amor.

Duración: 30 minutos, para comenzar.

- Haz el ejercicio de conectarse con la Tierra, el de la purificación de la energía y el de recuperar tu energía.
- Escucha música inspiradora (la que más te atraiga).
- Enciende la vela para la liberación. Quémala durante unos momentos. Luego, mirando la llama, di: "Estoy quemando todo lo que se interpone en mi camino para encontrarme con mi alma gemela". Imagina que todos los bloqueos,

obstáculos y temores que te mantienen alejado de tu alma gemela se queman fuera del chakra de tu corazón.

- Coloca tus manos a unos 5 u 8 cm de distancia de tu corazón (el cuarto chakra) y toma con fuerza el aire, como si estuvieras arrancando una cuerda invisible de su pecho. Esto es lo que lo está bloqueando en tu intención de encontrar tu alma gemela. Bota la cuerda imaginaria en la llama de la vela y déjala que se queme.

- Repite las palabras y la acción en tu tercer chakra (el plexo solar y estómago); después hazlo con el de tu área genital (el segundo chakra), luego con el de la base de tu columna vertebral (el primer chakra). Después purifica tu garganta (el quinto chakra), tu frente (el sexto chakra) y la parte más alta de tu cabeza (el séptimo chakra).

- No descuides la parte trasera de tu cuerpo (recuerda que los chakras tienen dos extremos). También los debes purificar.

- Continúa con el proceso en cada uno de tus chakras hasta que consideres que ya te sientes limpio. Esta técnica te tomará aproximadamente unos diez o quince minutos, en caso de que no hayas realizado este tipo de purificación, pero con la práctica te harás más adepto a ella (y te sentirás más limpio).

- Apaga la vela de la liberación.

- Permite que un destello de la luz del Sol fluya a través de ti e inunde todos esos lugares que han quedado vacíos. Esta luz dorada también te ayudará en el ejercicio de volver a alinearte con tus vibraciones internas. Respira profundamente.
- Enciende la vela rosada.
- Di: "Estoy encendiendo esta vela para atraer a mi alma gemela; a medida que esta vela se vaya quemando, estaré dispuesto para recibirla".
- Llama a la esencia de tu alma gemela. Imagínatela tocando tu cuerpo entero, desde tu cabeza, pasando por el cuello, los dedos, el pecho, los hombros y así sucesivamente. Tómate algún tiempo para entrar de lleno y en forma real en esta experiencia (pueden ser un poco más de 10 minutos). La experiencia puede resultar tan agradable como tú lo desees (puedes utilizar el protocolo que aparece en el ejercicio 7).
- Si tienes una vela profesional, especialmente diseñada para la atracción o para el amor, ahora es el mejor momento para que la enciendas. Déjala que se queme por completo.

Es recomendable que lleves a cabo este proceso unas tres o cinco veces más (en días diferentes). Siempre habrá algo más para limpiar y purificar, además, este ejercicio hace más fuerte la evocación.

13. La muñeca

Con frecuencia se necesita una herramienta tangible para ser usada como una guía para la concentración, algo que puedas sostener o que puedas ver o tocar. En los próximos ejercicios crearás y usarás algunos objetos específicos en forma de herramientas para el trabajo de concentración necesarios dentro del proceso relacionado con tu alma gemela.

En este ejercicio, vas a usar un elemento en forma de muñeca, la cual no debe de tener más de 20 cm de alto y que esté confeccionada con cualquier clase de material natural (puede ser de tejido, de madera, de arcilla, pero no de plástico). A veces se pueden conseguir en tiendas de artesanías o también puedes hacerla tú mismo, utilizando algún material. Si decides hacerlo ten en cuenta que el material debe ser durable, puesto que vas a tener que conservarlo durante algún tiempo.

A esta muñeca se le otorgarán ciertos atributos. Sus características se asimilan a las muñecas utilizadas en los rituales de vudú, sólo que en lugar de los alfileres se llenará con las cualidades de tu alma gemela.

Antes de empezar recuerda que tu alma gemela no es tu compañero ideal. Tu compañero ideal es una estructura de tu propia mente, una amalgama de cualidades y de creencias que crees que deseas encontrar. Es posible, y ocurre con frecuencia, que éste no tenga relación alguna con la realidad de tu alma gemela (ve el ejercicio número 2).

Por ejemplo, tu compañero ideal puede que sea pulcro y ordenado, mientras que tu alma gemela resulta ser un completo desorden. Si colocas todas las cualidades que deseas en tu compañero ideal en esta muñeca, entonces vas a recibir justamente eso, no tu alma gemela.

¡Pero, espera un minuto! Te estarás preguntando ¿cómo sé qué aspecto tiene mi alma gemela? ¿Cómo hago para otorgarle alguna de esas cualidades a esta muñeca?

Pues bien, existen algunos aspectos que se constituyen en requisitos, no importa de qué clase de persona se trate, por ejemplo que sea amoroso, afectuoso, comprensivo, inteligente, de buen humor, alegre.

¡Si consideras que no mereces tener estas cualidades en la persona con la cual piensas establecer tu relación (hay muchas personas que así lo creen), entonces estás equivocado! Otras cualidades que debes esperar de tu alma gemela son: La compatibilidad, que esté en la misma tónica tuya, que tenga los valores espirituales similares (en otros términos, que si un fundamentalista y un ateo se juntan, existirían escasas probabilidades de que esa relación resulte conducente hacia la armonía); que tenga el deseo de estar contigo (es decir, que de alguna manera te considere como su alma gemela), que te entienda y que se conviertan en el mejor amigo el uno del otro. Eso es lo mínimo que debes esperar de la persona con la cual establezcas cualquier relación, especialmente si se trata de tu alma gemela.

Nota que no estoy haciendo énfasis en ninguno de los rasgos particulares del carácter, como por ejemplo en la "pulcritud", sino que estoy enumerando cualidades esenciales que son importantes para cualquier relación buena.

Hasta el momento en el cual las encuentres, es posible que no sepas su estatura, su raza o grupo étnico, su cultura, el color de su cabello, ni muchas otras cosas, pero a medida que sigas palpando la esencia de tu alma gemela, es posible que recibas las corazonadas que te indiquen que estás haciendo lo correcto.

Antes de empezar, te sugiero que quemes un poco de incienso con el objetivo de aclarar el ambiente, de disponerte dentro de un estado mental receptivo, y de invocar a tu guía u orientador. También recomiendo que enciendas un incienso de palo dulce a manera de Nag Champa, el cual puedes comprar en la mayoría de las tiendas de objetos alternativos o en cualquier establecimiento en el que importen productos de la India.

Elementos necesarios: Una figura pequeña con forma humana; crayones, marcadores borrables de punta fina o diversos lapiceros de colores luminosos; papeles multicolores pequeños o tejidos (sobre todo de colores rojo y rosado); pegamento; alfileres; una cinta; tiras de colores rosado, rojo y blanco de diferentes longitudes; tijeras; cuentas, plumas o cualquier clase de decoraciones; el incienso de Nag Champa.

Duración: Máximo 1 hora.

- Reúne todos los elementos mencionados.
- Ubícate en un espacio que consideres sagrado, que sea tranquilo, ya sea en tu casa o fuera de ella, en un paraje natural en donde estés seguro que no vas a distraerte. Es muy difícil llevar a cabo este proceso si hay algún tipo de distracción.
- Si puedes, escucha música que te motive, algo que refuerce tu ánimo y tu concentración (evita el alto volumen o ritmos como el rap y el rock). Después de todo, lo que estás intentando es establecer un ambiente romántico con el fin de evocar a tu alma gemela.

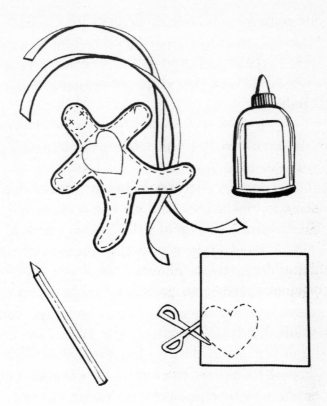

Utensilios para fabricar la muñeca

- Haz el ejercicio de conectarte con la Tierra, el de purificar y el de recuperar tu energía.
- Enciende el incienso y pásalo en forma circular alrededor de tu área de trabajo. Luego, pasa la muñeca a través del humo para erradicar todas las energías viejas y llénala con tu propia energía.

- Si tu muñeca no tiene una cara definida, hazla con los marcadores borrables o con los lapiceros. Diséñale cada uno de los detalles o características de la manera en la que te sientas más a gusto.
- Evoca la esencia de tu alma gemela (ve el ejercicio número 1). Tómate un momento para sentir la esencia en tu mente y cuerpo.
- Con voz clara establece qué es lo que estás haciendo: "Estoy pidiendo que la esencia de mi alma gemela se manifieste a través de esta muñeca". Después de eso, permite que esa esencia fluya dentro de tu muñeca.
- Toma un pedazo de papel o de tejido rojo o rosado. Recorta un corazón y escribe lo siguiente sobre él: "Mi alma gemela me ama". Imagínate la energía de tu alma gemela impregnando este corazón. Adhiéreselo en el pecho a la muñeca, utilizando el pegamento, los alfileres, una tira o una cinta.
- Recorta otro corazón y pégalo sobre el primero. Encima de éste escribe: "Amo a mi alma gemela". Permite que tu energía se impregne en este segundo corazón.
- Toma un pedazo de papel o de tejido. Escribe las cualidades de tu alma gemela. Puedes utilizar un pedazo de papel para cada una de las cualidades o enumerarlas todas en la misma hoja. Empieza con las cualidades que consideres que

te mereces en cualquier relación, no importa de quién se trate: "Que sea amoroso, afectuoso, comprensivo, inteligente, de buen humor, alegre" y así sucesivamente. También puedes recibir las intuiciones acerca de las demás cualidades de tu alma gemela o los rasgos que vayas invocando para tu esencia, por ejemplo, algo así como su color favorito. Permite que la energía de tu alma gemela se derrame sobre estas cualidades.

- Amarra todas estas cualidades a la muñeca de la manera que mejor te parezca. Sé creativo. Utiliza tu imaginación y sentido común en relación con lo que te pudiera llamar la atención, tanto a ti como a tu alma gemela. A continuación te ofrecemos algunas sugerencias:

Engrápalas o pégalas a una cinta y luego ata la cinta alrededor del cuerpo.

Aplica pegamento sobre el cuerpo de la muñeca y envuelve la cinta alrededor del cuerpo.

Escríbelas encima de la muñeca con los marcadores borrables o con los lapiceros, si se trata de tela.

Escríbelas en corazones pequeños y pégalos de tal manera que cubran toda la muñeca.

Cóselos en la parte delantera de la muñeca.

• A medida que desarrolles el último paso, di algo
como lo siguiente: "yo estoy llenando esta muñeca con la combinación de nuestras esencias,
de manera que se constituya en un imán para
atraernos mutuamente. Ahora tenemos una

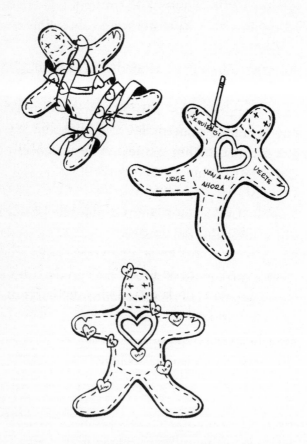

Ejemplos de muñecas de amor

verdadera conexión". Al mismo tiempo, imagina que estás impregnando la muñeca con tu propia energía y con la de tu alma gemela. Repite esa frase hasta que hayas terminado por completo de pegar todos los corazones.

- Ahora tienes en tus manos un objeto tangible y que ha sido creado por ti mismo. Di, "estoy generando las condiciones para establecer mi relación con mi alma gemela, de una manera tan real como lo es esta muñeca. Muy pronto se establecerá la relación tan anhelada, en la medida que sea para el mutuo beneficio".

- Coloca la muñeca en tu altar o en alguna parte donde la puedas ver, tocar y sentir. Cada vez que lo hagas estarás reforzando la conexión existente entre tú y tu alma gemela.

- Cuando llegue tu alma gemela, podrás enterrar o quemar esta muñeca (y todos sus demás talismanes). Puede que desees hacer esto en forma de una ceremonia en la cual los dos participen, como si se tratara de una especie de recordatorio de la forma en la que estos objetos les ayudaron a reunirse.

14. El *collage* de tu relación

Al igual que la muñeca, en este ejercicio vas a elaborar un objeto tangible con el que te puedas concentrar, pero en este caso será de dos dimensiones. El *collage* de tu alma gemela no es simplemente un cuadro interesante. Su propósito es transmitir el sentimiento que se percibe en tu relación. ¿Cuál es el tipo de relación que quieres construir? ¿Cómo te sientes al respecto? Ésas son las preguntas a las cuales tu *collage* pretende dar respuesta.

Tu relación empieza de la forma como la imaginas. La mayoría de los *collages* son una colección de cuadros pegados sobre un mismo soporte. El cuadro de tu relación tendrá cualquier forma y tamaño que desees.

¿De qué forma va a ser? ¿En forma de corazón? ¿Quizá un óvalo o un anillo? ¿Un círculo o un cuadrado? ¿O en forma de una escalera de caracol? Una escalera de caracol tiene la dinámica del movimiento. Un círculo y un cuadrado describen la perfección; el primero es dinámico, el segundo es estático. Algunas personas escogen el símbolo de lo infinito, es decir, la figura en forma de ocho, pero acostado, el cual resulta apropiado, puesto que tanto tu alma gemela como tú han estado rondándose durante un número infinito de vidas. También puedes usar una figura rectangular.

Al crear este *collage* con tu colección de cualidades inherentes, también te verás afectado, particularmente si ellas representan aquellas que te hacen falta. Este es un punto muy importante. El *collage* magnetiza o acentúa ciertos modelos positivos o sentimientos que no reconocerías en ti mismo. Esa situación dará origen a una tensión o a una determinada incomodidad en tu interior.

Por ejemplo, pensemos que has tenido relaciones abusivas, descuidadas o insatisfactorias. Ellas van a reflejar los modelos antiguos de tu niñez, los cuales han sido recurrentes una y otra vez en tus relaciones.

Tu *collage* no debe reflejar esos abusos o descuidos. Por el contrario, tiene que expresar tu deseo e inclinación hacia el amor, el apoyo y la felicidad. Es posible que sientas incomodidad con estas peticiones o consideres que no te las merece. Eso significa que cada vez que observes el *collage* con tus imágenes amorosas, los modelos que hacen que te sientas indigno de tener este amor van a ser activados.

Se puede presentar el caso de que escuches voces diciéndote que no te mereces un amor así. Por otra parte, puede que notes la presencia de otros mensa-

jes negativos como: "No puedes ser amado". Al es-
cucharlos, tendrás la oportunidad de confrontarlos y
desenterrarlos. (Ve el ejercicio 4 que habla de cómo
erradicar esos modelos).

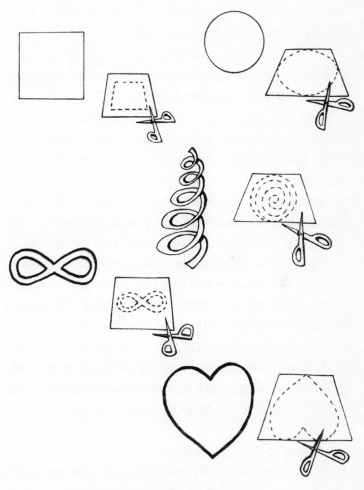

Formas positivas de *collage*

Elementos necesarios: Diferentes revistas; pegamento; alguna clase de soporte, puede ser de cartón; tejido o papel de colores para pegar en el cartón; tijeras; los artículos decorativos que te gustaría agregar (pueden ser cuentas, plumas y accesorios por el estilo).

Duración: Máximo 1 hora.

- Antes de empezar, reúne todos los elementos enumerados anteriormente.
- Ubícate en un lugar para trabajar en tu *collage*.
- Haz el ejercicio de conectarse con la Tierra, el de purificar la energía y el de recuperar tu energía.
- Escucha música evocadora. En este caso no debe ser música suave, sino algo energético que le ayudará al *collage* a impregnarse con tu energía.
- Evoca a tu ser superior o a un ángel para que te brinden ayuda y orientación.
- Evoca la esencia de tu alma gemela (ve el ejercicio 1).
- ¿Cuál figura expresa la relación que deseas con tu alma gemela? Relájate y escucha la respuesta. Pide sugerencias a tu ser superior. Cuando creas que ya has recibido una impresión, recorta el fondo del cuadro. Ésa es la razón por la cual el cartón es la mejor opción.
- Si no recibes alguna impresión, escoge una figura que te guste o con la que te sientas más afín

y vaya con tu personalidad. Disfruta del trabajo elaborado.

- Pide ayuda a tu alma gemela para escoger qué cuadros deben pertenecer a este *collage*. Ten presente los aspectos de la relación que quieres incluir. ¿Qué cualidades te gustaría encontrar en tu amor? (Por ejemplo: Amor, el goce, caricias, afecto, respeto, buen humor, igualdad) ¿Cómo quieres expresarlos en tu relación?

- Siente esos cuadros que estás escogiendo. Si en ellos hay personas riéndose, comparte con ellas el sentido del humor y la alegría que quisieras tener cuando estés con tu alma gemela. Si ves personas amorosas, imagínate el amor que existe entre tú y tu alma gemela.

- Construye tu *collage*. Elabora un cuadro de la clase de relación que quieres establecer con tu alma gemela.

- Cuando consideres que ya has incluido todas las necesidades dentro de tu cuadro, detente. No sobresatures tu *collage*, aun si sólo utilizaste pocas imágenes o cosas. El único criterio importante es que ellos sean las cosas y las imágenes correctas.

- Cuando hayas terminado el *collage*, colócalo sobre la pared en un lugar especial, en el cual puedas contemplarlo todos los días con el fin de que te recuerde la clase de relación que deseas (puedes ponerlo sobre o cerca de tu altar).

Al hacerlo, habrá más probabilidades de que te puedas liberar de esos bloqueos internos y, sólo así, magnetizarás a tu alma gemela para que se dirija hacia ti.

15. El escudo

El escudo como el *collage* tiene características bidimensionales, pero en este caso, tu enfoque y apariencia son diferentes. El escudo es tu imagen espiritual y la de tu alma gemela. Con el escudo se logra el acercamiento hacia la conexión espiritual que posees contigo mismo, con tu alma gemela y con las energías que te ayudarán a manifestar tu relación.

No es necesario crear un escudo en función de tu apariencia. El escudo no es una obra de arte, sino una visión simbólica. Éste no se impregna con deseos, sino con una bendición espiritual, de manera que lo que elabores tenga equilibrio y rectitud. En lugar de imágenes, estarás utilizando objetos simbólicos que has comprado o coleccionado.

Cada objeto espiritual tiene (o debe tener) una resonancia espiritual particular. En conjunto, ellos refuerzan la armonía y el propósito del escudo. No se trata de un grupo de imágenes en las cuales aparecen representados el amor y otras cualidades (Deja eso para colocarlos en tu *collage*).

Existen diferentes formas de elaborar un escudo. Si estuvieras haciendo un escudo tradicional de los nativos americanos, entonces deberías estar entonando cánticos, ayunando y preparándote a ti mismo. También irías en busca de una visión, y prestarías más atención a tus sueños. Luego solicitarías una visión de los símbolos que deberían pertenecer a tu escudo. Una vez listo, pintarías los símbolos respectivos en tu escudo.

En la actualidad, la mayoría de las personas no tienen ni el tiempo, ni la energía, ni los recursos necesarios para llevar a cabo semejante tarea. No existe nada de malo con la preparación espiritual de la meditación, del trabajo de sueños, visiones y ayunos. Éstos son pasos preparatorios excelentes. Pero a diferencia de los nativos americanos, quienes pueden ejecutar estos ejercicios durante muchos días, a menudo aislados en el desierto, es posible que desees hacer una meditación o un viaje que no dure más de una hora, en vez de varios días, con o sin ayuno. Es tu decisión.

Así, como en el ejercicio del *collage*, no debes tener trazado un plan fijo en tu mente. Permite que fluya a partir de lo que te sugiera tu ser superior, tu inconsciente y tu alma gemela. Sólo entonces pon tu visión o concepto en la figura de tu escudo.

Los materiales tradicionales pueden ser sustituidos por objetos modernos fáciles de conseguir en alma-

cenes, tales como un aro de hacer bordados en tela.
Elaborar tu escudo es sencillo; simplemente corta la tela del tamaño apropiado, témplala entre las dos piezas
del aro de bordar y tendrás una superficie fácil para decorar en dos o en tres dimensiones.

Después, puedes utilizar la pintura especial para la
tela con el fin de crear los símbolos y agregar las decoraciones que consideres más apropiadas, tales como
las plumas, las cuentas, los dijes pequeños (es posible
que encuentres algunos maravillosos en los almacenes donde se consiguen las cuentas), las imágenes, la
escarcha brillante, las cintas, y todo lo que tu mente
pueda concebir.

El escudo no debe tener un aspecto agradable.
Éste no es su propósito. Recuerda que se diseña para
el poder, más específicamente para el poder de manifestar a tu alma gemela. Tus símbolos también tienen
unas fortalezas propias e inherentes. Al reunirlos se
refuerzan y se combinan esos poderes.

Al terminar puede que no tenga una apariencia
atractiva, pero sí será poderoso.

Escoge el momento apropiado para crear tu escudo; una hora, un día o un mes en particular que le
agregue la fuerza psíquica necesaria a tu trabajo. Eso
significa hacerlo durante la Luna creciente (la cual

simboliza el aumento), no durante la Luna menguante (la cual representa ausencia). Debes evitar por completo el abandono.

También es recomendable que lo hagas un día viernes (día de Afrodita o Venus, la diosa del amor), aunque el lunes (el cual representa la emoción) es también aceptable.

¿Qué clase de símbolos deberías utilizar? Eso depende de ti. Cada persona tiene símbolos específicos con significados particulares. Cuando llevas a cabo un ejercicio de meditación y ves ciertos símbolos especiales, éstos son los más apropiados para colocarlos en tu escudo.

¿Qué clase de símbolos funcionan? El escudo del alma gemela de Laura puede describirse de la siguiente manera: En él, los corazones están, por supuesto, alrededor del aro de bordar; también hay una inclinación que denota la tendencia a mantener juntos a dos de ellos, esta tendencia siempre aparece vigilada por el ángel del amor que ella pintó en el fondo con la pintura especial para tela y que resaltó con la escarcha brillante. Después le agregó los ángeles con pequeñas cantidades de brillo, como si se tratara de una especie de rayos luminosos (los cuales están prestos a ser desintegrados con el amor); además contiene sonrisas grandes y gatos (ella se considera una persona afín con los gatos y lo mejor sería que su alma gemela también lo fuera).

Beth creó siete escudos diferentes, cada uno representa una de las siete fases de su jornada espiritual con su alma gemela. Los escudos estaban colgados en su alcoba. Cada uno tenía su propio impacto, pero tomados en conjunto resultaban ser bastante intensos. ¡Sería innecesario decir que su alma gemela no tuvo otra alternativa que aparecer!

Adam usó una pequeña cantidad de cristales y los pegó alrededor del borde del aro de bordar. A manera de fondo utilizó un lazo grande, el cual decoró con más cristales y con otros objetos que él elaboró, como las estatuillas que lo representaban a él y a su alma gemela.

Los únicos límites que existen para la elaboración del escudo están en tu imaginación, las sugerencias de tu ser superior y la esencia de tu alma gemela.

Elementos necesarios: Aro de bordar; una tela lisa, como muselina u otra tela de algodón de color por si deseas pintar sobre ella; lazos u otros tipos de tejidos si lo consideras necesario para llamar tu visión; pintura especial para tela, escarcha brillante, cuentas, plumas, semillas, imágenes; símbolos de varias clases que tengan un significado espiritual para ti; copal, salvia o

hierba dulce para el incienso; pegamento, cinta, ribe-
tes, tijeras y decoraciones.

Duración: 1 hora.

- Antes de empezar, reúne todos los elementos
  necesarios para la elaboración de tu escudo. Tan
  pronto como los hayas reunido, solicítale guía
  espiritual a tu ser superior para seleccionar los
  artículos correctos que le puedan dar la mayor
  intensidad al escudo. También, pídele a la esencia de tu alma gemela que te envíe visiones o
  sensaciones de aspectos particulares que a ella le
  gustaría ver representados en él. Es posible que
  tengas algunos sueños donde te indiquen qué
  clase de objetos podrías utilizar.
- Prepárate a ti mismo por medio de un baño
  ritual en el que te limpies de todos los aspectos
  antiguos y te dispongas para recibir y utilizar los
  nuevos.
- Enciende el incienso de copal, salvia o de hierba dulce y riégalo en toda tu área. Quémalos
  durante todo el tiempo que dure tu proceso.
- Haz el ejercicio de conectarse con la Tierra, el
  de la purificación y el de recuperar tu energía.
- Escucha música evocadora. En este caso, la música de flauta o de tambores es apropiada.
- Medita unos quince minutos. Al principio de
  esta meditación, anuncia que te encuentras

preparado para elaborar el escudo de tu alma
gemela y pide que se te permita percibir o ver
algunos símbolos que podrían resultar apropiados.

- Llama en voz alta a tu ser superior, a algún ángel, a Dios Padre/Madre, al animal de tu poder
o a cualquier otro ser superior para que te pres-
te ayuda, poder, sabiduría y visión en tu trabajo.
Pídele que te ayude a elaborar el espíritu de tu
pareja en este escudo.
- Evoca a la esencia de tu alma gemela.
- Elabora el escudo. Cuando consideres que has
terminado, no importa cuántos objetos hayas
colocado en él, detente. No sobresatures tu escudo, aun cuando sólo le hayas colocado algunos objetos. El único criterio importante es que
sean los utensilios correctos. Llenarlo de cosas
disminuirá su impacto.
- Cuando hayas terminado tu escudo, colócalo
sobre la pared, en un lugar especial en el que
puedas contemplarlo todos los días con el objetivo de que recuerdes permanentemente la clase
de relación que quieres establecer (por ejemplo,
encima o cerca de tu altar). Entre más lo hagas,
más atraerás a tu alma gemela hacia ti.
- Es posible agregarle más objetos, particularmente si encuentras algo especial que debe estar en
el escudo.

16. El talismán

Un talismán es otra clase de objeto tangible que puedes impregnar con la energía de tu alma gemela. En este ejercicio, vamos a aprender el ritual para consagrar un talismán del alma gemela. El talismán puede ser algo tan sencillo como una piedra, una roca, un cuadro pequeño, un cristal, una estatuilla, una joya, siempre y cuando tenga una importancia espiritual para ti. Debe ser un objeto pequeño puesto que lo vas a llevar siempre contigo.

¿Cómo escoger un talismán? Con frecuencia se trata de algo que te llama la atención, ya sea por su aspecto estético o por su importancia emocional. Si hay algún sentimiento favorable hacia él, puede resultar de gran ayuda —en este caso, un sentimiento de amor y buena voluntad—. Tu talismán debe tener las cualidades de su propósito. Por ejemplo, si vas a hacer un talismán relacionado con el dinero, entonces las monedas son apropiadas. Un talismán para el amor deberá llevar esa connotación. Podrías considerar los corazones de diversas formas y materiales. Por ejemplo, un corazón de cristal, anillos, piedras preciosas, etcétera.

Hay muchas posibilidades y los límites se encuentran únicamente en tu imaginación. Utiliza un talismán hecho de material irrompible y duradero, puesto que si se rompe, evocaría situaciones infortunadas.

Un talismán no debe ser algo que ya hayas utilizado para otro propósito —es decir, como otro talismán—. Escoge algo único y nuevo para tu alma gemela. Después de todo, este trabajo consiste en crear una nueva relación, y no en el reciclaje de un modelo viejo.

Una vez escogido el talismán, deberás purificarlo de las posibles energías viejas que todavía puedan permanecer en él, antes que lo impregnes con las energías de tu alma gemela. Existen varias maneras de hacerlo. A continuación describiré dos formas que son eficaces.

Lávalo en el agua del mar para remover la energía vieja (si no vives cerca de un océano, entonces coloca sal de mar en el agua). Sólo usa este método en objetos resistentes.

Un método más simple es imaginar que el objeto está lleno de una luz dorada que se impregna en cada uno de tus átomos y va disolviendo toda clase de viejas energías, permitiéndoles que se escurran en la tierra con el fin de poder reciclarse. Repítelo con tanta frecuencia como lo consideres necesario, hasta que estés seguro de que el objeto está limpio.

Al terminar cualquier forma de purificación, el objeto estará listo para impregnarlo con las energías de tu alma gemela.

Elementos necesarios: El incienso del amor; papel rojo o rosado; el talismán; el aceite del amor; una vela rosada; una taza de agua con sal; un plato de barro; una bolsa pequeña de tela roja o rosada; las cintas rojas o doradas.

Duración: de 30 a 45 minutos.

- Haz el ejercicio de conectarse con la Tierra, el de la purificación y el de recuperar tu energía.
- Evoca a tu ser superior, a los ángeles o a otro ser superior para que te ayude en la consagración.
- Evoca a la esencia de tu alma gemela.
- Quema el incienso del amor.
- Utiliza suficiente papel rosado o rojo para envolver tu talismán. Escribe en él: "Mi alma gemela es mi verdadero amor" —o palabras similares.
- Levanta tu talismán. Úngelo con el aceite del amor. Si el objeto se mancha —si está hecho de papel— entonces úngelo en un lugar discreto.
- Di: "El amor que tiene mi alma gemela para mí está en este talismán. Este talismán es una almenara a través de la cual mi alma gemela va a lle-

gar a mí (nombra el elemento: aire, fuego, agua, tierra)". Imagina la energía de tu alma gemela que fluye en este objeto.

- Di: "Impregno este talismán con mi energía", y después imagínate que eso está ocurriendo.
- Di: "Permite que mi alma gemela venga a mí".
- Repite el procedimiento de los últimos tres pasos a medida que vas consagrando el talismán con los cuatro elementos:

El aire (el incienso).

El fuego (la vela; este paso hazlo muy rápido).

El agua (moja el área que no va a ser impregnada con el aceite).

La tierra (cubre una pequeña parte del talismán con tierra, sin estropearlo).

- Concéntrate en la energía de tu alma gemela vibrando a través de este talismán.
- Al terminar la consagración sostén el talismán en tu mano e imagina que estás palpitando gracias a las energías con las cuales ha sido impregnado y que se han mezclado en su interior.
- Toma el papel y envuelve el talismán. Ponlo en la bolsa pequeña y hazle un pequeño nudo con

la cinta. Asegúrate de que la cinta quede bien ajustada.

- Guarda el talismán en tu altar o llévalo contigo. En mi caso dejarlo en el altar es suficiente.

17. La planta floreciente

Sembrar un árbol o una planta es un símbolo poderoso de compromiso. Es una promesa de alimentar y expresar el desarrollo de la conexión entre ustedes dos. Por ejemplo, siembras un rosal en el patio de tu casa; lo riegas, lo desyerbas, hablas con él, le das amor y lo haces crecer. Luego aparecen sus primeros capullos y más tarde florecen. Este proceso normal de florecimiento genera un vínculo místico entre tú y tu alma gemela.

Algunas personas usan un árbol. Personalmente considero que una vez que tu amante ha llegado, es una buena idea sembrar un árbol como símbolo de su amor. Claro está que esto es apropiado si disponen de un patio para hacerlo. Si vives en un apartamento, siembra una planta pequeña fácil de mover. Puedes colocarla en el altar o en alguna parte especial donde guardes los objetos relacionados con tu alma gemela.

Selecciona una planta que florezca. Una planta floreciente simboliza el futuro de tu relación.

Las rosas son populares en las relaciones amorosas y fáciles de conseguir. En general, la planta debe tener algún significado especial para ti; de manera que cuando la mires, tu corazón se llene de alegría. Las flores tienen una gran variedad de colores; escoge el que consideres que tenga la vibración correcta para ti.

Sería beneficioso si la planta estuviera floreciendo o brotando en el momento en que la actives para el ejercicio. A medida que vaya creciendo y floreciendo, representará el avance en tu relación.

¿Qué pasa cuando la planta muere? ¿También muere el amor? No importa qué tan duro lo intenten algunas personas, hay quienes no tienen ningún éxito con las plantas. Eso no significa que la conexión de tu alma gemela con tu fuerza vital no fuera lo suficientemente fuerte como para ayudarle a la planta a crecer. Lo que ocurre en estos casos es que ustedes y las plantas no se llevan muy bien.

Si ése es su caso, entonces no hagas este ejercicio. Muchas plantas necesitan de un cuidado especial en combinación con la luz y el agua adecuada. Muchas veces esta combinación no es correcta y las plantas no llegan a prosperar.

Este ejercicio está dividido en dos segmentos distintos.

Parte I

Elementos necesarios: La planta; tierra abonada; agua de manantial; confeti de mylar (corazones, ángeles, y cosas por el estilo); granos (de maíz o de arroz); la esencia de jazmín o el incienso del amor (el cual puedes conseguir en una tienda de artículos esotéricos y de metafísica).

Duración: 30 minutos.

- Haz el ejercicio de conectarse con la Tierra, el de la purificación y el de la recuperación de tu energía.
- Escucha música evocadora. En este caso, no debe tratarse de ninguna clase de música suave, sino de algo que te guste realmente, la cual te ayudará a impregnar la planta con tu energía.
- Evoca a tu su ser superior o a un ángel para que te ayude y te oriente.
- Evoca a la esencia de tu alma gemela (ve el ejercicio 1).
- Sosteniendo la planta en tus manos, evoca a la esencia de tu alma gemela. Después imagina a tu alma gemela colocando sus manos alrededor de la planta. Ahora ambos la sostienen.
- Pídele a tu ser superior, a los ángeles o a tu ángel guardián que coloque sus manos alrede-

dor de ustedes dos y que los impregne con su bendición. Aun cuando sientas que no está ocurriendo nada, hazlo de todas formas. Pretender que está sucediendo es tan importante como el hecho mismo de que suceda. Entre más intensa sea la conexión con la planta, más energía podrás colocar en ella. A medida que la planta absorbe esta energía, va sintiéndose amada y alimentada.

- Rocía tierra alrededor de la planta mientras dices: "Esta tierra abonada es la fuerza, la solidez y la longevidad de la tierra que se robustece. Simboliza la fuerza y la resistencia de nuestro amor". Evita palabras como "eternidad" y "para siempre", puesto que pueden crear efectos contrarios en ti.
- Rocía la planta con agua de manantial (no agua corriente, ni burbujeante) mientras dices: "Esta agua nutre esta planta al igual que nuestro amor nos nutre".
- Rocía la planta con confeti de mylar mientras dices: "Mi alma gemela y yo pusimos estos corazones, etc., en la tierra como un símbolo de nuestro crecimiento y amor floreciente".
- Esparce los granos sobre la tierra abonada mientras dices: "Estos granos simbolizan el crecimiento de nuestro amor, el retoño y el florecimiento".
- Quema el incienso alrededor de la planta.

- Una vez que hayas terminado esta pequeña ceremonia, coloca la planta en tu altar o en el lugar que consideres más apropiado.

Parte II

- Habla con tu planta muchas veces todos los días.
- A medida que lo hagas, evoca la energía de tu alma gemela para que los dos puedan hablar con la planta. Al hablar con la planta, realmente vas a estar hablando con tu alma gemela a través de la planta. "Mi alma gemela, te estoy hablando. Mientras que esta planta está creciendo y floreciendo y mientras que está evolucionando, está expresando el amor y la conexión que existe entre nosotros".
- La planta empezará a crecer y a florecer. Una planta necesita ser amada y nutrida y quiere sentir que tú le prestas la suficiente atención. Hablar con ella es algo muy beneficioso.
- Después de un mes, ya puedes sembrarla en el exterior, de lo contrario déjala en tu sitio favorito.

18. Tejiendo una evocación

En una invocación, estás utilizando tus pensamientos, tu intención y tu voluntad para manifestar tu necesidad. Es un proceso chamánico, utilizando motivos y símbolos de los nativos americanos. Existen tres partes distintas para el desarrollo de este proceso —encontrar los elementos necesarios; entretejer el objeto y colocar el objeto en la tierra.

Lo más importante dentro de la evocación es el grado de concentración. Entre más fuerte sea el nivel de concentración en tu alma gemela y el deseo de encontrarte con ella durante la evocación, mayor será también la probabilidad de hacerlo realidad.

Esta técnica la aprendí hace muchos años en una clase sobre el chamanismo. La primera vez que la puse en práctica me dio grandes resultados. ¡Mi evocación se manifestó en cinco días!

Al contrario de las otras creaciones, ésta no exige de una gran destreza manual. Se trata de un tejido primitivo en el cual tú creas cualquier cosa que consideres apropiada para tu trabajo. Su propósito principal no es la decoración, sino la manifestación; y eso es lo que proporciona el poder. Cada objeto posee su propia energía, con un significado específico para ti y nadie más. Ésa es la razón por la cual tu nivel de concentración y enfoque son de gran importancia.

Parte I

- Unos días antes de hacer la evocación, necesitas reunir tus elementos necesarios. Para tal efecto tómate una hora para recorrer parajes naturales, meditando, relajándote y analizando el mundo a tu alrededor.
- En tu recorrido, recoge cualquier objeto natural que te llame la atención, es mejor que no sean

Proceso de tejido

cosas perecederas, pero que sirvan para entretejer en tu evocación, por ejemplo, ramas, hojas, conos de pino, capullos, frutas, plumas y cosas por el estilo. No vayas a utilizar flores que se puedan marchitar, a menos que se puedan secar y conservar. Recolecta, por lo menos, uno o dos objetos todos los días.

- También necesitas un palo o una rama, la cual vas a utilizar como el marco para tu tejido. Un palo con características únicas sería apropiado.

- Almacena todos los elementos en un lugar seguro, de preferencia cerca de tu altar, hasta que esté listo.

Parte II

- Después de cinco o seis días de recolectar los objetos, es el momento para iniciar el tejido de tu evocación. Cuando yo tejí el mío, hice un ejercicio de meditación durante diez minutos, mientras formaba la imagen del objeto antes de empezar a tejerlo alrededor de mi rama.

- Una vez plantada tu evocación, debes olvidarte de ella. Entre más pienses en ella, más tiempo tendrás que esperar hasta que la evocación pueda estar en libertad de hacer su trabajo.

Elementos necesarios: Copal, salvia o hierba dulce (usa los inciensos de tu región, en lugar de los de la India Oriental o inciensos de resina); estambres o hilos de colores rojo, amarillo, verde, azul, blanco y negro (éstos son las representaciones de los nativos americanos para las cuatro direcciones, la tierra y el cielo); el resto de los objetos naturales que has recolectado durante tus paseos. También puedes incluir algunas cuentas, plumas, dijes, papel de colores u otros objetos simbólicos, pero pon más énfasis en los objetos que hayas encontrado.

Duración: 1 hora.

- Reúne la totalidad de los elementos necesarios sobre una mesa. Asegúrate de no ser molestado.
- Haz el ejercicio de conectarte con la Tierra, el de la purificación y el de recuperar tu energía.
- Escucha un poco de música. La música de flauta creará un ambiente armónico con tu trabajo. No utilices música de tambores puesto que ésta evoca un tipo diferente de energía.
- Enciende tu incienso. El copal es un incienso de resina, y por lo tanto necesitarás carbón. La hierba dulce y la salvia se pueden quemar directamente. Déjalos quemar durante todo el ejercicio.
- Evoca a tu ser superior para que te ilumine y te oriente en este ejercicio.
- Evoca a la esencia de tu alma gemela.
- Cierra los ojos y pídele a tu ser superior que te ayude a atraer a tu alma gemela. De ahora en

adelante acepta a tu ser superior como el guía
en este proceso. Relaja tu mente para sintonizar-
se con la clase de tejido que quieres crear para
tu evocación. Es posible percibir una imagen.

- Elabora tu tejido sobre la rama. Deja una punta
libre para enterrarla en la tierra. No realices este
ejercicio con una idea preconcebida. De hecho,
quizás termines pegando objetos sobre la rama,
en lugar de hacer formalmente un "tejido".

- Al crear tu tejido, imagínate a la esencia de tu
alma gemela a tu lado, qué clase de persona es,
cómo es, de qué forma está conectada contigo.
Teje la energía de tu alma gemela dentro de
esta evocación, así como también la tuya propia.
Háblale mientras vas haciendo el trabajo (puede
ser en voz alta o en silencio). El objeto irá adquiriendo forma ante tus ojos.

- Cuando consideres que ya has terminado, detente. No importa qué tantas cosas hayas entre-
tejido. Es probable que no hayas utilizado todos
tus objetos, pero no será un problema siempre y
cuando sientas que has hecho lo correcto.

Parte III

Éste es el momento en el cual sembrarás la rama para
que los espíritus de la tierra puedan concentrarse en
la evocación. Una vez terminado el objeto, tómate un

día o más para permitir que el tejido pueda absorber toda la energía. Luego plántalo en algún lugar, preferiblemente donde no vaya a ser perturbado —encontrar un sitio así es cada vez más difícil—. Los patios traseros, aunque puedan parecer lugares prácticos, no son los ideales, puesto que los niños y los animales domésticos pueden desenterrar tu tejido.

Quizás lleve tiempo encontrar un sitio adecuado. Cuando yo lo encontré, fue como si la tierra se hubiera tragado el tejido. Pude sentir la intensidad y quedé realmente asombrada. Así fue también la rapidez de la manifestación.

Elementos necesarios: Tejido; pedazos de chocolate; monedas de centavo.

- Encuentra el lugar indicado para plantar tu tejido.
- Empújalo en la tierra para que quede bien sembrado.
- Esparce y entierra tanto los pedazos de chocolate como las monedas a lo largo del área. Estos son regalos de dinero y comida para los espíritus de la tierra. Les estás pidiendo ayuda, por lo tanto es adecuado ofrecerles algún tipo de regalo.
- Ahora abandona el lugar y olvídate del asunto (esto quiere decir que lo debes sacar de tu mente para que él pueda hacer su trabajo).

19. Hacerle el amor a tu alma gemela

Ningún libro de ejercicios para atraer a tu alma gemela estaría completo sin una evocación a la conexión más íntima y extática entre ustedes: La de hacer el amor. Al hacerlo, debes permitir que tu cuerpo físico experimente la sensación de tener una caricia de tu alma gemela en el centro mismo de tu deseo. Después de todo, cualquier relación que no involucre todas las partes de su ser sería insatisfactoria. El amor necesita ser abrazado en cada uno de los niveles.

Cuando le haces el amor a tu alma gemela, lo haces tanto en el plano físico como en el plano mental, algo así como hacer un viaje dentro de tu mundo interior. Siendo así, entonces empecemos primero por allí.

Cierra tus ojos e imagina que te estás encontrando con tu alma gemela en un lugar especial, puede tratarse de uno en el cual ya has estado anteriormente, un lugar diferente, en alguna parte que te invite a la intimidad, por ejemplo, en un jardín, en una arboleda apartada, en tu habitación o en una alcoba diferente. Lo importante es que sea un sitio donde puedan estar juntos en un sentido emocional, físico y espiritual.

Puesto que todo esto acontece en tu mente, no hay ningún tipo de limitaciones. Complácete a ti mismo. Crear mentalmente una situación amorosa puede llegar a ser un ejercicio intelectual agradable y estimulante. Este tipo de pensamientos son ciertamente muy satisfactorios, pero el impacto y el efecto llegan a ser más tangibles cuando se les agrega una dimensión física, es decir, cuando tu cuerpo físico puede experimentar lo que tu mente se está imaginando. Es decir, experimentar el placer físico.

Cuando evocas a la esencia de tu alma gemela y te complaces a ti mismo, realmente experimentas tu intensidad erótica en todas las capas y células de tu cuerpo. Eso agrega una resonancia emocional increíble a tu propio goce sexual y además eleva el nivel de tu éxtasis personal.

No es sólo una fantasía completamente agradable, sino que también sirve como una especie de preparación para que cuando ustedes dos consigan realmente estar juntos, hayan creado ese ritmo de intimidad entre ambos. ¡Y créanme que sus cuerpos se reconocerán el uno al otro!

Llevemos este proceso un paso más allá dentro de tu relación con el mundo exterior. Este goce interior genera una respuesta sensual en el mundo exterior. Aquellos que, con mucha frecuencia, tienen experiencias de autocomplacencia con la esencia de su alma gemela se sienten más deseables como personas. Su comportamiento es más natural y se sienten dignos de ser amados.

Hacer el amor en forma física con un amante, es mucho más intenso y erótico (después de todo, nadie está esperando que seas célibe mientras aguardas por tu alma gemela). Cada vez que tienes relaciones íntimas con tu pareja en el plano físico, tu alma gemela también lo experimenta, puesto que su cuerpo está recordando el goce que esto implica.

El sexo genera una poderosa energía kundalini —libido creativo—. A medida que va avanzando el grado de compromiso con tu pareja, se aumentan los niveles del kundalini. El hecho de conducir a tu alma gemela hacia esta ecuación refuerza la intensidad de tu experiencia y también fortalece los vínculos existentes entre ustedes dos. Ésta es una forma en la cual puedes encontrar a tu alma gemela en un nivel físico e íntimo. Con tus ojos cerrados, imagínate que esa persona es tu alma gemela, quien te abraza y te acaricia mientras que vas alcanzando el nivel del clímax.

Antes de continuar, es necesario plantear una pregunta muy importante: ¿Si ya te encuentras comprometido en una relación de pareja o estás casado, por qué razón estás llevando a cabo este proceso?

De todos los ejercicios que aparecen en el libro, éste es uno que podría causar una reacción enorme en tu vida, puesto que es muy íntimo y muy poderoso. Este tipo de trabajo puede fracturar tu relación actual. No quiero ser la responsable de la ruptura de tu matrimonio. Tampoco propongo destruir tu actual relación con el fin de encontrar a tu alma gemela.

Es importante hacerse las siguientes preguntas: ¿Qué sucede con mi relación actual que está haciéndome mirar en otra dirección? ¿Qué pasaría si yo hago todo este trabajo y mi alma gemela se presenta? ¿Qué sucedería entonces? Necesitas considerar estos asuntos mientras tienes tiempo de hacerlo, preferiblemente antes de que pase algo más.

¿Estás realmente comprometido con esa relación? ¿O simplemente quieres establecer una conexión con la energía de tu alma gemela y nada más? Conozco a algunas personas que han tomado esa decisión y al final han encontrado que sus vidas sexuales se hacen mucho más intensas y excitantes. Ellas están satisfechas con la forma en que marchan las cosas en su vida actual. Si apareciera tu alma gemela, quizás complicaría la situación (lo cual es particularmente cierto si hay niños involucrados).

Esto es dejado a tu propia conciencia y sabiduría. Aparte de esa advertencia, si no te encuentras comprometido en una relación de pareja, puede que este proceso te genere un magnetismo erótico enorme cada vez que lo lleves a cabo.

Ya he mencionado antes la evocación de tu alma gemela en tus sueños. Después de que hayas terminado de hacer este ejercicio de acoplamiento sexual, invita a tu alma gemela a que tenga una relación sexual contigo en el plano astral, en la tierra de los sueños. Verás qué tan excitante te resultará esta experiencia.

En este ejercicio voy a hacer especial énfasis en tu fantasía mental, no en la física; esa parte te la dejo para que seas tú quien la descubra.

Elementos necesarios: Algo que te proporcione placer, puede ser algo así como el aceite del amor, los inciensos del amor, un vibrador, revistas o videos de sexo (la lista es interminable); una almohada o dos. Escucha música que te invite a la intimidad, ya sea romántica o excitante.

Duración: Todo el tiempo que tú quieras.

- Haz el ejercicio de conectarse con la Tierra, el de la purificación y el de recuperar tu energía.
- Adopta una actitud romántica, incluyendo la música, la luz tenue de una vela, el baño perfumado y así sucesivamente. Siéntate cómodo en

cualquier sitio que consideres adecuado (después de todo, tus ambientes físicos se agregan a tu placer).

- Cierra tus ojos e imagínate caminando hacia un lugar en el que te sientas bien, por ejemplo, hacia una alcoba, un escenario natural, etcétera.

- Invita a la esencia de tu alma gemela a que se acerque a ti y se unan en este lugar. Imagínatela viniendo a través de los campos o desde las arenas de una playa o, quizás, a través de la puerta. Abre tus brazos para que le des la bienvenida (puedes mover tus brazos en un gesto de dar la bienvenida).

- Salúdense tan apasionadamente como a ti te gustaría hacerlo. Siente cómo su energía se riega a tu alrededor y la tuya alrededor de ella.

- Haz todo lo que te gustaría que hicieran juntos, a medida que se abrazan, se acarician, se besan y se aman. Mientras que tus manos van recorriendo todo su cuerpo, bajan por su cara, por su cuello, por su pecho hasta su vientre, ve tocando todos esos lugares en su cuerpo, los cuales son sus zonas eróticas; imagina que sus manos te están acariciando. Es posible que en un momento quieras abrazar o acariciar la almohada (esto te proporcionará la sensación de sostener algo firme, como si fuera el torso de tu alma gemela).

- Consigue involucrarte tanto como te gustaría hacerlo en realidad. Si quieres lograr este nivel de excitación en el plano físico, entonces estimúlate y proporciónate placer tú mismo, a medida que vayas teniendo la experiencia mental. Ésa es la razón por la cual el hecho de complacer tus fantasías sexuales puede resultar atractivo. Naturalmente, tu placer está limitado única y exclusivamente por tu propia imaginación y por tu propio deseo.

- Cuando termines, agradécele a tu alma gemela por haber venido de la manera más amorosa, cariñosa y erótica posible.

- Antes de apartarte, invítala a entrar en tus sueños. Permítele que se convierta en una parte tuya dentro del plano astral. Al comienzo, es posible que puedas recordar o no estos encuentros, pero si logras hacer de esto el último pensamiento que tienes antes de irte a dormir, se encontrarán en tus sueños y luego los recordarás. Probablemente sucederá con mucha más frecuencia de lo que imaginas.

20. Evocar a una diosa

Has invocado la presencia de tus ángeles para que te ayuden. Ahora es el momento para llamar a otro ser divino: Se trata de una diosa. Sí, tales seres existen. Cuando evocas la presencia de una diosa (o de un dios), estás regresando a las formas antiguas divinas. Aunque no adorados en todo el mundo, estos seres divinos todavía conservan su poder y su sabiduría.

En la cultura occidental se acostumbra a evocar a la Virgen María, a Jesucristo o a los santos (en el caso de que seas católico) para ayuda o guía en general.

Al hacer un llamado a una diosa (o a un dios), estás invocando su presencia para que escuche tu oración e interceda de alguna manera en un resultado deseado. En efecto, puedes entregarle la responsabilidad para que ese deseo se manifieste por su intermediación, permitiéndoles que se ocupen de todos los detalles. Todo lo que has de hacer es rezar e invocar hasta que tu petición se haga realidad.

Antes de invocar a estos seres divinos, necesitas determinar a cuál diosa o dios pedirás ayuda. Variedad de libros mitológicos te ofrecerán los detalles relacionados con los atributos y con los aspectos de las diferentes divinidades. En este caso, se evocará a la diosa del amor. También puedes ampliar tu petición hacia la fecundidad, el poder femenino y la fortaleza. Escoge una diosa cuyas cualidades te puedan ayudar a manifestar la relación con tu alma gemela.

Existen diosas del amor en todas las culturas. Algunas son apasionadas o turbulentas; otras tienen cualidades más serenas o compasivas. Todas están comprometidas con el amor y con los amantes; además pueden utilizar su poder para ayudarte a atraer a tu alma gemela.

En nuestra cultura, Afrodita (Venus) es la diosa del amor. Su hijo es Amor (Eros), el dios del amor (pero es subordinado ante la diosa). Afrodita es conocida por su vida amorosa activa, caprichosa y apasionada, pero no necesariamente sabia. Su forma de amar está recubierta por la pasión sexual.

Aún cuando Afrodita se conoce por ser una diosa inconstante, puedes evocar su ayuda a la hora de llamar a un amante; pero eso no significa que vas a recibir al amante correcto. Ella creará una relación de amor para ti, pero puede que no se trate de tu alma gemela. Las flechas de Cupido tienen fama de equivocarse. ¿Es ésta la clase de divinidad de la cual te gustaría recibir ayuda?

Las diosas del amor responden a las oraciones que les haces con el fin de manifestar tu verdadero amor. Después de todo, eso es lo que más les agrada hacer: Llevarles el amor a las vidas de las personas. Cuando las invocas, tienes que ser específico en los aspectos que estás buscando; de lo contrario, ellas te traerán cualquier clase de amante que encuentren.

¿Qué hay acerca de los dioses? Los dioses del amor son escasos o están subordinados bajo el poder de las diosas. Generalmente, los dioses son famosos y alabados por su sabiduría, poder y por sus hazañas bélicas, mientras que el amor es considerado como de exclusivo dominio de las diosas. El género de la diosa o del dios no importa; lo principal es que tus oraciones estén siendo escuchadas por alguien y que produzcan un efecto. Es posible que decidas invocar tanto a un dios como a una diosa; en este caso, la invocación funciona mejor si ellos provienen de la misma cultura. Sin embargo, personalmente considero que lo mejor es hacer énfasis en una sola diosa. No esparzas tu energía alrededor.

Dentro de la variedad de las diosas del amor a las cuales te gustaría invocar se incluyen las siguientes (hay muchas más que no he incluido en este listado):

- Afrodita (griega), Venus (romana).
- Freya (nórdica), representa la belleza y el amor.

- Hathor (egipcia), representa el amor y la belleza.
- Ishtar (sumeria), Inanna (babilónica), representa a la diosa del amor.
- Isis (egipcia), representa la sabiduría, el amor, la fuerza y el poder.
- Kuan-Yin (china), representa la compasión, la gracia y la misericordia.
- Lakshmi (hindú), representa el placer, la belleza y la riqueza.
- Oshun (africana), representa el amor y la fertilidad.

Puedes conseguir más información al respecto en la biblioteca o a través de Internet. Esto te ayudará a determinar cuál es la diosa correcta para ti. Utiliza tu propia intuición.

Una vez tomada la decisión, consigue una fotografía, una imagen o algún objeto que la represente. Este aspecto será de vital importancia a la hora de evocar a la diosa.

Ahora que ya has escogido a tu diosa y has conseguido un símbolo o una imagen de ella, es hora de prepararte para tu evocación. Ten en cuenta que deseas hacer este ritual tan poderoso como te sea posible. Eso significa que no solamente vas a utilizar tu intención, sino también las energías que están disponibles para ti y que provienen de las fuerzas cósmicas más grandes. A continuación aparecen algunas energías que pueden servirte para reforzar tu ritual.

- Realiza el ritual un viernes. Éste es el día asignado a Venus o Afrodita, quien, por supuesto, es la diosa del amor.
- Ejecuta el ritual en la primera hora del día o de la noche (al amanecer o al atardecer). Durante estos momentos existe un poder mayor que en cualquier otro ("es el cambio del día"). Verifica la hora oficial del alba y del crepúsculo.
- Desarrolla el ritual durante la Luna creciente, no en la Luna menguante. La Luna llena representa la atracción, mientras que la menguante significa retiro.

Al evocar a una diosa por ayuda, estás transmitiéndole tu necesidad para que la manifieste. Es importante solicitar una señal para asegurarte de que ella ha escuchado tu petición.

Es posible que, de vez en cuando, percibas dicha señal. Las flores son una señal común (por ejemplo una rosa) o, tal vez, un mensaje. Con frecuencia recibes este tipo de señales, no de los amigos, pero sí de personas extrañas que entran en tu vida solamente un breve momento. Aun cuando lo dudes, recibirás la señal. Te garantizo que estas demandas se cumplen, a veces de las maneras más extrañas.

Fern estuvo rezándole a Kuan-Yin para solicitarle que le concediera un favor y le pidió una rosa en señal de que la había escuchado. Al día siguiente recibió un cuadro lleno de rosas de todas las clases. Ella lo tomó como la señal de que su oración fue contestada y, de hecho, lo había sido.

Elementos necesarios: Tela rosada para el altar; un cuadro o estatua de la diosa; velas rosadas y rojas; una planta con flores (preferentemente la utilizada en el ejercicio 17; de lo contrario, una planta con las flores rosadas); incienso de pachulí o de jazmín; aceite del amor.

Duración: Entre 30 y 45 minutos.

- Haz el ejercicio de conectarse con la Tierra, el de la purificación y el de recuperar tu energía.
- Prepara un espacio en tu altar. Si no tienes uno, utiliza un estante o una mesa. Deberás permanecer sentado o de pie enfrente de él. Quita todo lo que haya encima. Cubre el altar con la tela de color rosado y coloca sobre ella lo siguiente: Una foto o una estatua de la diosa, una vela roja en el lado izquierdo, una vela rosada en el lado derecho; la planta floreciente a la izquierda y el incienso a la derecha.
- Enciende las velas.
- Enciende el incienso y pásalo a través del altar y a través del sitio en el cual te encuentras de pie

o sentado, con el objetivo de purificar el área y de aumentar el nivel de la vibración del amor.

- Evoca a la esencia de tu alma gemela para que te ubiques de pie o sentada justo a su lado. Ellas también necesitan participar en esta evocación. Haz de cuenta que estás a su lado, no importa lo que estés sintiendo o dejando de sentir.

- Unge tus muñecas, tobillos, frente y corazón con el aceite del amor. Di: "A medida que me voy ungiendo con este aceite, me dispongo para que el amor entre en mi alma gemela y en mí. Mi corazón está lleno con nuestro amor. Hago vibrar a la energía de nuestro amor. La siento dentro de mí y alrededor de todo mi ser".

- Levanta tus manos en actitud de súplica y evoca a la diosa que hayas seleccionado. Pon todo tu corazón y toda tu alma en ella. Éstas son mis palabras, pero puedes cambiarlas, por supuesto. Para llevar a cabo este ejercicio, escogí a la diosa Isis. A medida que digas estas palabras, utiliza el nombre de tu diosa:

"Oh (Isis), te invoco para que escuches mi oración. Te pido que vengas ahora hacia mí". Repite una vez más esta evocación.

"Mi alma gemela está aquí a mi lado. Estamos de pie ante ti, (Isis), mi alma gemela y yo, evocamos tu voluntad y tu gracia divinas. Concé-

deme que mi oración y mi súplica permitan
que mi alma gemela y yo podamos reunirnos
y estar juntos en forma física, de tal manera
que podamos establecer una relación amorosa,
siempre y cuando estemos en concordancia con
nuestros deseos más altos y nobles. (Esta aclara-
ción es muy importante, puesto que no deseas
establecer una relación que no sea correcta
para cada uno de los dos). Ayúdame, (Isis), te lo
pido".

- Puedes repetir estas mismas palabras o agregarle
  las que consideres necesarias.
- A medida que sostienes la planta en tus manos,
  imagina que las manos de tu alma gemela se
  encuentran a tu alrededor. Di: "Te evoco (Isis),
  para que me ayudes a establecer una relación
  con mi alma gemela que crecerá y florecerá
  igual que lo hace esta planta".
- Ahora reza en forma silenciosa, pídele a la diosa
  que te ayude. Pídele a tu alma gemela que se
  una a ti en esta súplica. Este hecho le permite
  a la diosa ponerse en sintonía con tus energías
  combinadas.
- Si tienes una fantasía erótica, éste es un momento apropiado para que te complazcas con
  ella. La excitación sexual atrae una gran cantidad de energía del kundalini. Las diosas (en
  particular las diosas de amor) responden posi-

tivamente ante esa clase de energía. Si deseas a tu verdadero amor, ellas también necesitan saber que estás completamente comprometido con esta causa.

- Pídele a la diosa que te envíe la señal de que tu oración ha sido escuchada. Relaja tu mente para que puedas sintonizarte con algunas imágenes. Si no has recibido ninguna señal, pídele que se manifieste en forma de una flor o, más específicamente, de una rosa.

- Al terminar esparce el incienso, pero deja que las velas se quemen por completo. Deja el altar tan intacto como te sea posible. Es probable que esto no sea práctico, dependiendo del sitio donde vives, pero si puedes ver la imagen de la diosa diariamente, será una especie de recordatorio para que le reces y, así, ella pueda seguir trabajando en tu petición.

21. El ritual de la atracción

Un ritual es un proceso en el que solicitas o demandas para que ocurran determinadas acciones. Normalmente se lleva a cabo en un lugar sagrado, específicamente designado y con unos elementos y símbolos especiales. Un ritual puede diseñarse para muchos propósitos, pero es común que tengan un enfoque en particular y sus participantes (uno o varios) tienen un objetivo específico en su mente. La misa católica es un ejemplo de este ritual; tiene lugar en un momento específico, con unos instrumentos especiales, en un área particularmente consagrada; hay una ceremonia determinada y una meta específica.

Existen muchas maneras de hacer los rituales. En este caso, debes concentrar toda tu voluntad hacia la meta de atraer a tu alma gemela hacia ti. Para lograr este objetivo se necesitan varios objetos propios del ceremonial:

- Una campanilla, que sirva para transportarla del tiempo y del espacio ordinarios hacia este nuevo y especial espacio alterado.
- Una espada o daga para desterrar las energías que no sirvan.

- Una varita para invocar a las energías divinas. La vara puede ser algo tan simple como una ramita que tenga entre 30 y 45 cm de largo, una vara de cristal o plástica que tengas o lo más adecuado para ti.
- Un cáliz para el líquido sagrado, tú lo vas a beber, así que no lo vayas a llenar demasiado.
- El incienso.
- Las velas rosadas y rojas.
- La tela rosada para el altar.
- El papel rosado.
- Un bolígrafo de tinta roja.

Si ya tienes algunos de estos objetos, puedes utilizarlos. No uses objetos de tu vida cotidiana. Necesitarás artículos específicamente diseñados para este propósito (si no estás seguro acerca de todo esto, puedes acudir a diversos libros que describen los rituales mágicos con gran detalle, editados bajo el sello de Grupo Editorial Tomo). Si la duda persiste, entonces es mejor que los compres nuevos (objetos con energía neutra).

También necesitas un sigil (una señal de amor especial) colocada detrás de tu altar como punto de concentración.

La ropa que lleves puesta es importante. Puedes llevar prendas de colores blanco, negro o del color

Ejemplo de un sigil de amor.

apropiado para el propósito. En este caso, rojo sería el color deseado.

Desarrolla este ritual un viernes, el día de Venus, o en su defecto un lunes, el día de la Luna, el día de la emoción, durante las dos semanas de la Luna creciente.

Ten en cuenta que no estás haciendo el trabajo para atraer a cualquier persona. Estás atrayendo a tu alma gemela, a tu amante especial, mejor dicho, a una energía específica. La totalidad del ritual hace mayor énfasis en el hecho de magnetizar a esa persona hacia ti. Como de costumbre, evoca a tu ser superior, a los ángeles y a cualquier otro ser superior para que te ayude y oriente. Si no realizas el ritual "perfectamente", no se estropeará el efecto.

Una vez completado el ritual, necesitarás olvidarte del asunto, así como lo hiciste con la evocación referida en el ejercicio 18. Entre más tiempo lo conserves en tu pensamiento, más le estarás impidiendo a tu energía que haga el trabajo y, de esa forma, no puede ejecutar el propósito de atraer a tu alma gemela.

Elementos necesarios: Observa la lista del ejercicio anterior.

Duración: Entre 30 y 45 minutos. Una vez que hayas empezado a desarrollar el ritual no lo vayas a interrumpir, puesto que esto rompería la energía. Asegúrate de tener la suficiente privacidad.

- Haz el ejercicio de conectarte con la Tierra, el de la purificación y el de recuperar tu energía. Es recomendable ayunar de antemano durante un día y hacer el ejercicio de la meditación por lo menos una hora antes del ejercicio. Entre más alto sea tu nivel de concentración, más fuerte será tu ritual.
- Vístete con la ropa más apropiada para la ocasión.
- Dibuja tu sigil en el papel rosado con el bolígrafo de tinta roja y pégalo en la pared.

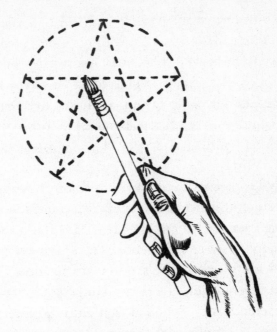

Utiliza tu varita para hacer la figura de un pentagrama en el aire

- Arregla tu altar de igual manera que el ejercicio anterior. Pon tu planta (la del ejercicio 17) sobre el altar, debajo del sigil, así como también cualquier otro objeto que hayas hecho (por ejemplo la muñeca, el escudo, el *collage* y el talismán).
- Escucha música que refuerce tu amor.
- Haz sonar tu campanilla en cada una de las cuatro direcciones para definir el espacio sagrado; este efecto te transporta desde tu realidad cotidiana hacia una realidad sagrada.

- Utiliza tu daga para desterrar todas las energías no deseadas en las cuatro direcciones. Dirígete primero hacia el Oriente. Dibuja un pentagrama en el aire y di: "Envío todas las energías no deseadas hacia la parte más alejada del Oriente". Repite esas mismas palabras en las otras direcciones (sustituyendo por el Sur, el Occidente y el Norte).

- Voltea la cara hacia cada dirección, y evoca el elemento apropiado para la dirección respectiva: Para el Oriente es el aire; para el Sur es el fuego; para el Occidente es el agua; para el Norte es la tierra. Usando tu varita, describe un pentagrama en el aire; a medida que lo vayas haciendo, di: "Evoco al elemento de (inserta aquí el nombre del elemento) para que me ayude en mi ritual".

- Evoca a tu ser superior y a los demás seres de alto nivel para que te apoyen en este ritual de atracción. Pídeles que te ayuden a atraer a tu alma gemela, siempre y cuando sea lo mejor para los dos.

- Úngete con el aceite del amor. Aplícalo en tus pies, en la frente, en el corazón, en las palmas de tus manos y di: "Estoy listo para recibir el amor de mi alma gemela".

- Enciende el incienso del amor (u otro).

- Di lo siguiente en voz alta: "Invoco a la energía de mi alma gemela. La convoco para que venga a mí. Le pido que esté conmigo, que comparta su esencia conmigo. Llamo al viento para que la traiga hacia mí". Haz una pausa para permitir que todo eso ocurra.

- "Convoco a la energía de mi alma gemela a través del fuego. Permite que se queme de manera ardiente y fuerte, así como también todo lo que haya en su camino, de tal manera que la esencia de mi alma gemela, la cual es fuerte y poderosa, pueda estar aquí conmigo". Haz una pausa.

- "Convoco a mi alma gemela para que venga por intermedio del agua, la cual lava y purifica todo lo que se encuentra a su paso. Abrazo a mi alma gemela a través de las aguas que la mueven hacia mí, así como las aguas de nuestro amor fluyen a través de nuestros seres. Nosotros somos fuertes, poderosos y somos como uno solo". Haz una pausa.

- "Convoco a mi alma gemela para que sienta el poder, la fuerza y la solidez de la tierra, de manera que nuestro amor dure tanto como nosotros lo deseemos. La convoco para que se pare junto a mí y se conecte con la solidez de la tierra en la vida que vamos a llevar juntos". Haz una pausa mientras imaginas a tu alma gemela acercándose hacia ti con las manos extendidas y los brazos abiertos.

- "Solicito las bendiciones de los ángeles y de (aquí di el nombre de los seres divinos que hayas convocado). Les pido que compartan su esencia con mi alma gemela y conmigo; que nos rodeen con el amor". Haz una pausa.

- "Le hago un llamado a mi alma gemela para que me abrace, para que me llene, para que me complemente". Siente la energía de tu alma gemela a tu lado, a tu alrededor y en todo tu ser.

- Sostén el cáliz y enfrente del sigil, di: "Pido que este cáliz se llene con la esencia del amor existente entre mi alma gemela y yo". Bébela toda.

- Escoge y levanta uno de tus talismanes. A medida que lo sostienes, visualízate a ti mismo y a tu alma gemela mientras están juntos. Di: "Con este (aquí pronuncia el nombre del objeto) convoco a mi alma gemela para que esté a mi lado". Después de eso, puedes repetir el proceso con cada uno de los objetos. Entre más te concentres y le pongas énfasis a lo que haces, más fuerte será la conexión.

- Unge el sigil con el aceite del amor. Di: "Permite que mi alma gemela se encuentre conmigo a través del tiempo y del espacio".

- En este preciso momento es que algunas personas pueden sentir el deseo de proporcionarse placer a sí mismos, elevando así el goce y la intensidad del ritual, y también con el objetivo de hacerlo con la sensación que les produciría el hecho de estar con su alma gemela. Aunque éste no es un ritual que esté orientado hacia el sexo, la razón de la magia sexual es tan popular que se constituye en un estímulo para acrecentar la energía del kundalini, de tal manera que puedas utilizarla para dirigir tu voluntad. Teniendo en cuenta de que se trata de tu propio ritual, eres el único que toma la decisión de acogerse a esta opción.

- Finalmente, es el momento para completar el ritual. Agradécele a todos los seres divinos por haber venido e invítalos a que se retiren. Agradécele a tu alma gemela y envíala de regreso.

- Envía de regreso también a las energías provenientes de las distintas direcciones a través de la utilización de la varita, volviendo a describir en el aire el pentagrama. "Devuelvo a su origen a los poderes del (aire, fuego, agua, tierra)".

- Usa la daga o espada para desterrar todas las energías que se hayan acumulado. Voltea la cara hacia cada una de las direcciones y di: "Envío de regreso todas las energías no deseadas hacia el (Oriente, Sur, Occidente, Norte)".

- Haz sonar tu campanilla en señal de fin del ritual.

- Apaga las velas. Destrúyelas y tíralas.

- Guarda todo muy bien, incluido el sigil.

- Permítele al ritual que se vaya (es decir, deja que se aleje de tu mente para que pueda hacer su trabajo).

Conclusión

Ahora que has completado todos los ejercicios en este libro, podrás comparar tu situación actual con respecto a la forma en que te encontrabas antes de comenzar —actitudes, sentimientos acerca de ti, los demás y con tu alma gemela.

¿Todavía te consideras la misma persona de antes o puedes ver diferencias en ti? Averigüémoslo. Con frecuencia nos resulta muy difícil notar los cambios que hemos experimentado debido a que pueden ser muy sutiles; no obstante, los demás sí los pueden notar.

Al comienzo del libro te pedí que llenaras una lista sobre algunos aspectos personales. Antes de volver a esa primera lista, elabora otra bajo los mismos parámetros. Compáralas y establece los aspectos que has cambiado. Si descubres algunos aspectos de la lista vieja que te gustaría incluir en la nueva, asegúrate de agregarlos.

Primero que todo, nota los aspectos que se presentan en ambas listas. Hay que examinarlas con mucho cuidado. ¿Sientes la misma resonancia o la misma intensidad acerca de ellos a medida que los fuiste desarrollando antes? Escribe un signo más (+) o un signo menos (-) al lado del aspecto de la nueva lista de control para indicar qué clase de progreso se ha presentado en ti.

Por ejemplo, podrías haber incluido la palabra "deprimido"; ahora ese aspecto se ha convertido en "bastante feliz". Ése es un punto positivo que te puedes anotar. El término "asustado" de la primera lista se ha convertido en "dispuesto y receptivo". Eso también indica un progreso, o sea, otro punto a tu favor. O también puede ocurrir que la característica de "difícilmente de mal genio" en la primera lista se haya convertido en "frecuentemente de mal genio". Ése sería un cambio negativo, ¿o no? (el hecho de irritarse más a menudo puede ser evidencia de que ahora no es tan dócil como lo era antes, lo cual podría resultar ser positivo).

Haz eso mismo con cada una de las cualidades que aparecen en ambas listas.

Luego, trázale una equis en tu lista vieja, sobre aquellos aspectos que no aparecen de nuevo en la última lista.

Estudia la nueva lista. Eso te dará una imagen actual de lo que eres. Puedes ver qué tanto has progresado en tu propio desarrollo y cuánto más abierto, dispuesto y receptivo estás ahora, como si te hubieras renovado para empezar una nueva vida.

Recuerda que no importa lo que suceda con tu alma gemela, ésta es tu propia transformación. Espero que hayas disfrutado el viaje de tu propio descubrimiento y que se hayan cumplido todas tus oraciones y todos tus sueños. Es algo maravilloso ver cuando las cosas funcionan bien.

En el caso de que quisiera compartir tu viaje, tus experiencias, cualquier modificación que hayas hecho a los ejercicios y tus resultados conmigo, por favor hazlo sin demora. Puedes contactarme a través del correo electrónico a la siguiente dirección:

arians@rocketmail.com.

Me encantaría conocer todo lo que me quieras contar de ti.

El formato de la fotografía instantánea

Gustos en general (cualquier cosa)	Cosas que no te gustan (cualquier cosa)
Cualidades generales que te gustan	Cualidades personales que no te gustan
Tus características (ésas que te hacen diferente de todo el mundo)	Cómo te gustaría ser
Los miedos (personales y globales)	Pareja ideal
Las esperanzas y los sueños (para ti y los demás)	El mundo ideal (en los negocios y en el hogar)
Las creencias espirituales	Qué es importante para ti